張潮 與 《幽夢影》

高旖璐◎著

【目　次】

黃序---1

自序─架構文人生活美學三部曲-----------------------------------3

第一章　張潮的一生---1
　第一節　寂寞蕭然，功名失墜---------------------------------1
　第二節　以文會友，冠蓋雲集---------------------------------15
　第三節　筆花繚繞，編寫斐然---------------------------------24

第二章　《幽夢影》的體例---------------------------------------37
　第一節　「世說體」的擴充-----------------------------------37
　第二節　「清言」的表現-------------------------------------40
　第三節　「小品」的延續-------------------------------------42

第三章　《幽夢影》的新、舊編本-------------------------------45
　第一節　舊編本---45
　第二節　新編本---56

第四章　《幽夢影》豐富多姿的題材內容-------------------------67
　第一節　「人」之情─人性真諦的體悟-------------------------70
　第二節　「生」之趣─生活況味的享受-------------------------77
　第三節　「物」之興─物我感嘆的抒發-------------------------83
　第四節　「語」之得─語文天地的馳騁-------------------------87

第五章　《幽夢影》雋永優美的修辭技巧————————97
　　第一節　表意或形式的單一修辭————————————98
　　第二節　表意或形式的兼格修辭———————————122

第六章　《幽夢影》靈動活潑的藝術特色———————131
　　第一節　精擅審美的生活情趣———————————132
　　第二節　展現凝煉的形式藝術———————————143
　　第三節　波湧幽微的內在感懷———————————156

第七章　《幽夢影》的評價————————————175
　　第一節　正面評價，褒榮如華袞——————————176
　　第二節　負面評價，貶苛甚於斧鉞—————————185

第八章　結論————————————————195

附錄一：《幽夢影》原文與評語————————————199
附錄二：《幽夢影》評語人數統計———————————261
附錄三：《幽夢影》舊編本原文差異——————————269
附錄四：《幽夢影》舊編本評語比較——————————272
附錄五：《幽夢影》新編本比較————————————281
參考書目————————————————————287

黃　序

張潮的《幽夢影》是一本引人深思而又趣味性十足的書。我個人是在偶然的機緣下接觸到這本書，且在翻閱三兩頁之後就愛上了這本書。

《幽夢影》夠「軟」，面對此書，無妨以最輕鬆的心情來閱讀、來咀嚼、來賞析。

然而，學術論文則難免要求「硬」。將偏軟調的《幽夢影》用學術的角度來加以處理，呈現的結果依然要偏硬。

只是，處理《幽夢影》，在研究態度與方法或方式上，畢竟跟處理義理之學大不相同。我的看法是，做義理之學的論文盡可能一路硬下去，做《幽夢影》似乎不妨軟硬兼施、硬中帶軟。

彰化師大附設高工國文老師、彰化師大國文研究所教學碩士班畢業的高旂璐，是我在靜宜大學任教時結識的弟子之一。近十八年的光陰，我看到的她，是不斷力求精進的。只是，做為一個優秀的散文寫手，處理《幽夢影》，會用什麼樣的方式，呈現的的效果如何，我原無把握。更何況我近幾年指導的論文以經學為主，能夠提供多少概念給她，我也不敢太過樂觀。

結果出我意表，高旂璐經營整篇論文的態度極為認真，且將論文處理的頗為成功，而其整體設計，包含架構的安排與字句的風格，都有讓人欣喜之處。

去年，高旂璐順利通過論文口考，口考委員對於她經營這本論文的苦心與用心，給予頗佳的評價，這是一件令人興奮的事。

通過口考之後，高旂璐表示願意將成果與更多的人分享，因而看上了萬卷樓圖書公司。萬卷樓對原論文的篇幅稍長有些看法，我於是建議

她，既然要精簡內容，不妨請系內的張麗珠老師也提供一些高見，就這樣，正式出版的書籍與當初的論文，內外都有了一些變動。變，當然是變得更好！

　　書本問世之前，高旖璐希望我能為本書寫篇序文，我也想分享她出書的喜悅，是以欣然同意。

黃忠慎

2004 年 1 月序於彰化師大國文系

自序——架構文人生活美學三部曲

一、人間有真趣——《幽夢影》

　　若將《幽夢影》列爲中國十大名著，這絕對是天方夜譚，無人認同的；而在清代的文學作品排名中，《幽夢影》更不可能成爲數一數二的代表巨著！不過，做爲文人特質與文人生活美學的體現，深具優雅情意與獨特風格的投射，屬於生命安頓與自適的溫婉觀照，最重要的是小品文學應有的精純與悠閒，則《幽夢影》是不可或缺且佔有其一席之地的。

　　不妨讓我們以自得安然面對，生活原本可以如此的單純愉悅。適如張潮所言：「人莫樂於閒，非無所事事之謂也。閒則能讀書，閒則能游名勝，閒則能交益友，閒則能飲酒，閒則能著書，天下之樂孰大於是」，對於終日埋首案牘身心疲憊者，這不啻是寫意逍遙的生活藝術，心靈恬淡的文人本質。

　　而山水常是文人雅士內心世界的顯相，透過山的高峻、水的清幽、清風明月的陪襯，自然逸宕的那份從容隨意，總是令人得以舒展、令人縱情的。試看張潮的「樓上看山，城頭看雪，燈前看月，舟中看霞，月下看美人，另是一番情境」。山水逸趣適可的聯繫人的心靈悸動，生命基調之美輕鬆流洩。

　　是什麼時候人們將酒與風雅聯結，是曹操的「對酒當歌，人生幾何」，或是李白「百年三萬六千日，一日須傾三百杯」，還是東坡「此歡能有幾人知，對酒逢花不飲，待何時」呢？而那已經不重要，因爲文人與酒或酒與中國早已不能割捨！所以張潮也恣意的寫道：「千般易淡，未淡者美酒三杯。」又言：「能詩者必好酒，而好酒者未必盡屬能詩。」不管是那份醉態具有美的象徵，抑或是那份坦蕩的醉意點出情性的揮

灑，深刻雋永的況味，真是游藝騁才的最佳選擇。

書畫欣賞筆墨玩味，自也是古人不可少的。對於評騭詩詞字畫可以聚會高談闊論，對於圖文雅集更可以彼此交流互相切磋；或在園林，或在水榭，或在湖苑樓閣，其人文與自然的相映成趣，著實使人激賞。張潮呢？他當然樂於分享：「詩文之體，得秋氣爲佳；詞曲之體，得春氣爲佳。」又言：「抄寫之筆墨，不必過求其佳；若施之縑素，則不可不求其佳。」正所謂精筆佳紙乃是文人的逸興揮灑之所在，濃淡粗細、瘦硬蒼柔，無一不沁入心神。

當然關於「人」的部分在《幽夢影》中更有突出的建構，如：「無善無惡是聖人，善多惡少是賢者」，其對於人格的探討，寄予高度期望；如：「少年人須有老成之識見，老成人須有少年之襟懷」，互補的見地，合之爲美的看法，十分得宜；又如：「才子而富貴，定從福慧雙修得來。」又如：「所謂美人者，以花爲貌，以鳥爲聲，以月爲神，以柳爲態」，之於才子佳人的宣揚標榜，的確有其眷慕遐想。

如此的文化已成一種生活方式，在坐臥言行裡展露，從頓挫謦欬中相濡，於是航向性靈尋找桃源的契機，遂自《幽夢影》的既清澈閒雅，且瑰麗豐富中湧現，而我寫下論文的意念也一往直前。

二、癡心觀照風與月──《張潮幽夢影研究》

《張潮幽夢影研究》是以寫實兼浪漫、學術兼隨筆的審美形式進行。從原先的斟酌考量，到完成時的字數長達三十萬字，其間的甘苦早已不言而喻。

該衷心感激的是結師生緣近十八年的論文指導教授黃師忠慎，因爲有他得以使我全心全意朝目標邁進；而也在他莞爾一笑裡，我的癡心傻勁讓他感到心疼！至於張簡師坤明則常扮演解難消厄的角色，提供不少

建議，更覺銘記五內。

　　爲了張潮的生卒年一事，曠日費時多方蒐羅；也因其身家背景在坊間所能找到的文獻闕誤，遂投注極大的篇幅加以介紹，期浮一大白，提供更多參酌。

　　在《幽夢影》的新舊編本方面，流通的內容常有「差之毫釐，失之千里」之憾，因未有探討的篇章行世，於是秉持修正或釐清的原則，經由圖文逐一比對，所呈列的數據頗爲可觀。

　　而在《幽夢影》的體例上，藉由「世說體」、「清言」、「小品」等三個層次的說明，歸結出其屬於鎔鑄多樣體裁的創新表現。

　　當然「修辭」一項，林林總總的臚列，仔仔細細的套用辭格，爲的是讓中學生在修辭的天地裡，一方面培養欣賞的能力，一方面在修辭的運用上更爲純熟。

　　至於分析《幽夢影》的內涵上，採取「人、生、物、語」四項會心感受，跳脫舊有雜陳繽紛的窠臼；而「藝術特色」的探討，則是掌握簡明理路，將其憑藉模式析賞尋訪；另外對於張潮在文學史上的地位，與《幽夢影》各則或全書方面也做了正反兩面的評價，不管是作家或是書評綜論，皆屬創舉。

　　或許張潮依然寂寞，而《幽夢影》也沉默無言，但每當掩卷，虛擬成了真實，立願信然架築，就像張潮所說：「著得一部新書，便是千秋大業；注得一部古書，允爲萬世宏功。」那種從蒼茫裡走來的輝煌，是劍氣如虹的！

三、犁出一畝新綠──《張潮與幽夢影》

　　沉潛是必然的！就像冬天過後，引頸破除了寂寥，嫩綠掙脫了霜寒，雲飛、泉躍、山鳴、谷應，興起另一番生趣，饒富情味。

　　張師麗珠說：「這是緣分吧！」因為有她的帶領，殷切的告誡，使得原本只是想將內容稍做修飾、字數稍做縮減就付梓的我，決定改弦易轍重新出發。對於她的醍醐灌頂，之於我真可謂耳目一新；經由她的修正潤飾，標題更形出色貼切，而全書原有許多冗長厚重的理論均省略或捨棄，遂使得「開門見山」之功相形見效。

　　首先是原本的「第一章的緒論」完全割捨，為的是擺脫屬於論文的樣板形式，並考量到一般讀者不感興趣，俾以開啟直接通達實質內容的堂奧。

　　其次在「張潮的一生」章節裡，保留大部分的重點，但諸如交遊人數、書籍介紹的篇幅，也多做刪減。

　　而有關「新舊編本」其中的考證細節，可謂條列眾多，是以為避免掩蓋主題之光彩，特將其局部以「附錄」方式安排。

　　至於在「多樣的內容」一章，則以縮減實例為要；「修辭介紹」一章原本進行時每個辭格均有詳述，此時則不予保留，讓文中豐富多姿的分析更為具體；還有「藝術特色」部分，重新調整其進路，特別是在標題彰顯內文上，大加著墨。

　　還有就是「評價」單元，原有的「張潮評價」併入第一章；而在「《幽夢影》評價」部分，則採統整進行，並以「正反」角度切入，不再做個別分論。

　　我不敢說這是浴火重生，但的確是一場美麗饗宴的開始！

　　謝謝萬卷樓不吝賜教並給予出版的機會，也謝謝余月霞小姐的協助，更覺得人生旅途上有這些恩師，是「福」啊！

高婍璐　書於台中

2004.1.1

第一章　張　潮　的　一　生

翻開文學史，清代作家張潮，在浩瀚的文學領域中並未受到重視，其之所以被提列，常是因為《幽夢影》而起。

林語堂先生所寫的《蘇東坡傳》一書中提到：「一提到蘇東坡，在中國總會引起人親切敬佩的微笑，也許這話最能概括蘇東坡的一切」[1]蘇東坡人人皆知，歷久而不衰，一人足以稱霸中國文壇一大片天；反觀許多作家，汲汲營營，但終其一生，仍沒沒無聞，張潮便是如此。

既然張潮的《幽夢影》仍在坊間流通，書中精句美文也常被國、高中教科書選錄作為學生欣賞之用，那麼就有必要對於其人做翔實介紹。本章將分為作家生平事略（包含評價）、交遊、創作等三個節次，除文字說明外，也附上圖片加以佐證。

第一節　寂寞蕭然，功名失墜

以「張潮」為姓名者，歷來有之；但若專就清代而言，出現同名同姓時，則有了解之必要；或是生卒年無法確立時也值得加以探討。

一、驗明正身

在楊家駱主編的書中提到：

---

[1] 林語堂著、張振玉譯：《蘇東坡傳》（台南：德華出版社，1980 年），頁 6。

張潮（西元 1699－1754 年）康熙三十八年至乾隆十九年人。字蓀華，號鏡園，籍貫山陽[2]。

單就「年代」判斷會誤以爲是《幽夢影》的作者張潮，幸而有「字號」做進一步的比對，方不至於造成訛誤，但問題還是可能發生的。在《中國歷代詩文別集聯合書目》一書提到：

> 張潮，《幽夢影》二卷 （翠琅玕館叢書，西南書局版），〈張潮墓誌銘〉 （清）盧見曾撰 《雅雨堂文集四》[3]。

經深入查詢後發現此墓誌銘應題爲〈山東兖沂曹道張君墓誌銘〉，文中說道：

> 乾隆歲甲戌閏四月四日，山東分巡兖沂曹道張君鏡園，以疾卒于家。年甫五十有六，孤子桐莒次泣血，書狀遣平至維揚，求余志其墓[4]。

從這一小段內文便可見「此張潮非張潮」也，張冠李戴實易混淆視聽。

---

[2] 《清人別集千種碑傳文引得及碑傳主年里譜－續修四庫全書》（台北：中國學術研究所續修四庫全書編纂處印行，1965 年），頁 193。該書中所引述資料乃參考盧見曾《雅雨堂文集四》而來。

[3] 王民信主編：《中國歷代詩文別集聯合書目》（台北：聯合報文化基金會出版，1981 年），頁 200。

[4] 盧見曾：〈誌銘〉《雅雨堂詩文遺集》，卷 4，頁 28 上（中華民國中央研究院傅斯年圖書館典藏線裝書）。

　　而就其字號、別名、室名方面，張潮字「山來」，「山來」二字應與
其父有關。因其父張習孔，號「黃嶽公」，並且曾於山東任職。在清朝
以「山來」取號者，計有王雲升、汪濤、溥沂如等三位，所以不可不仔
細分辨。

　　張潮又號「心齋」，這在清朝真可謂不可勝數，計有丁守存、丁長
紳、方傳勳、王祖光、王熾、任兆麟、顏崇榘等三十三人！[5] 或許「心
齋」二字真如《莊子・人間世》所示：「仲尼曰：『若一志，無聽之以耳
而聽之以心，無聽之以心而聽之以氣。聽止於耳，心止於符。氣也者，
虛而待物者也。唯道集虛。虛者，心齋也。』」[6] 所以人人皆想如顏回
蒙受孔子諄諄教誨般──「名利得失不在意，無我無私最可貴」，但畢
竟自有定論，不能以偏概全；唯辨識彼「心齋」非此「心齋」也，才是
重點所在。

　　另外尚有「三在道人」之別號，經查看各大辭典（包含儒釋道專書），
並未見到任何相關詮釋。而此一別號，曾出現在他所輯《虞初新志》之
〈總跋〉中：「康熙庚辰初夏三在道人張潮識」[7]，與著作《奚囊寸錦》
中有「三在道人張潮」[8]（此一署名乃篆字體）等。不過「三在道人」
此一字號，清朝並無他人與之爭鋒，只有陸樹芝有「三在書房」[9]之名。

---

[5] 楊廷福、楊同甫編：《清人室名別稱字號索引》（台北：文史哲出版社，1989
　年），甲編，頁 87-89。

[6] 引自《景印文淵閣四庫全書》（台北：台灣商務印書館，1986 年），子部 362，
　道家類，卷 2，頁（1056）-24。

[7] 清・張潮輯：《虞初新志》（上海：上海古籍出版社），下冊，〈跋〉，頁 1。本
　書並未標示出版年份，今列入《古本小說集成》中。

[8] 清・張潮撰：《奚囊寸錦四卷》（清嘉慶庚辰 25 年，揚州王氏重刊本），卷 1，
　頁 21（中華民國中央研究院傅斯年圖書館典藏線裝書）。以下再次引用時，
　不再注明中研院字樣。

[9] 楊廷福、楊同甫編：《清人室名別稱字號索引》，甲編，頁 17。

　　至於「詒清堂」之室名則出現在《虞初新志》的〈凡例十則〉:「心齋主人識于廣陵之『詒清堂』」[10],與《昭代叢書丙集》〈序〉中有「康熙四十二年癸未夏五,新安張潮山來氏題于揚州之『詒清堂』」[11]等字眼。由於父親著作有《詒清堂集》[12],是以傳承意味十分明顯。

　　其他尚有「焦山」、「香雪」、「鹿蔥花館」之室名。「焦山」所在位於江蘇鎮江縣東,「焦山古鼎」雖不復存,但仍有諸多文人雅士予以探討,而張潮也著有〈焦山古鼎考一卷〉[13],而針對「香雪」、「鹿蔥花館」此二室名,則提供《辭海》中的一些說明,當有助於了解。在《辭海》有關「香雪海」之解說為:「江蘇省吳縣之鄧尉山,以多梅著名;花時香風十里,一望如雪;清蘇犖宋犖題鐫『香雪海』三字於支峰石上」[14],從宋犖風雅之舉,料想張潮必也是心嚮往之。更何況《昭代叢書乙集》〈第四帙卷二十七〉選錄宋犖的〈漫堂說詩〉[15],可見二者當是有所關聯的。而《辭海》對於「鹿蔥」之講解是:「植物名,石蒜科。多年生草本。地下有鱗莖……春日,葉自鱗莖萌出,淡綠色。夏日生花軸,軸頂著生數花,淡紅紫色……《本草》謂鹿蔥即萱,引嵇含〈宜男花序〉:『荊楚之士,號為鹿蔥,可以薦俎。』謂可憑據;按萱屬百合科,花葉

---

[10]《虞初新志》,上冊,頁3左。

[11] 清・張潮輯:《昭代叢書、丙集》(清道光29年,世楷堂藏版)(中華民國中央研究院傅斯年圖書館典藏線裝書)。以下再次引用,不另注中研院字樣。

[12]《中國地方志集成,安徽府縣志輯51(歙縣志)》(南京:江蘇古籍出版社,1998年),卷7,人物志,文苑10,頁287。

[13]《徽州府志全5冊》(台北:成文出版社,1975年),第5冊,卷15,藝文志、譜錄類,頁1640。

[14] 熊鈍生主編:《辭海》(台北:台灣中華書局印行,1985年),下冊,頁4885。

[15] 清・張潮輯:《昭代叢書、乙集》(清道光29年,世楷堂藏版),目錄,頁4右(中華民國中央研究院傅斯年圖書館典藏線裝書)。以下再次引用,不另注中研院字樣。

形態與鹿蔥不同，唯花色二物稍相類似，古因誤認爲一耳」[16]，且不談此「鹿蔥花」是否怡情悅目，光就「薦俎」一事，在神聖之引領與「香草」配「君子」之美譽下，張潮怎不有「捨我其誰」，而命以《鹿蔥花館詩鈔》[17]之作產生乎！

　　還有《幽夢影》中，評語者或有稱他爲「山老」、「山翁」者，則又是另一個鮮爲人知的尊稱。

　　另外對於張潮「生卒年」向來眾說紛紜，或難以確定！坊間有關介紹文學家的一些辭典，大抵出現三種模式：

　　張潮（約西元 1676 年前後在世），字山來，一字心齋……[18]

　　張潮（西元 1650－？），清代文學家。字山來……[19]

　　張潮，字山來，一字心齋，號三在道人，明末清初人……[20]

　　這些說明大都以「模糊」方式交代，但以「明末清初」統稱，則不可取。國內排除不確定性，而明確標示出生卒年的是中華民國中央研究院之「庫藏書籍電腦建檔資料」中以「西元 1659－1707 年」做爲張潮

---

[16] 熊鈍生主編：《辭海》，下冊，頁 5050。

[17] 合山究譯註：《幽夢影》（東京：明德出版社，1986 年），〈解說－小品文學和張潮〉，頁 20。

[18] 國立中央圖書館編輯：《明人傳記資料索引》（台北：文史哲出版社，1978 年），頁 1395。

[19] 天津人民出版社、百川書局出版社主編：《中國文學大辭典》（台北：百川書局，1994 年），頁 5593。

[20] 國立編譯館主編：《國民中學國文》（台北：國立編譯館，1993 年），第 5 冊，頁 52。

之生卒年。但其是否正確，藉由下列文獻比對，可得出明確答案。

首先探究的是「生之年」。在《昭代叢書、甲集》卷十五，殷曙〈竹溪褸述〉一文中，張潮題跋寫道：

> 壬寅夏日，戒就先君子之招。予時年甫十三，不解所謂詩古文辭也，然聞日戒與先君子論詩古文辭，輒欣然樂之。偶記其一二句以自怡悅，而日戒復善談笑工謔浪[21]。

按此推論，「壬寅」年乃康熙元年（西元 1662 年）；而張潮自稱「年甫十三」，回溯出生年，應是「西元 1650 年」，意即清順治七年（歲次庚寅）確定無虞。至於中研院所建檔資料，則為錯誤。

其次，在「卒之年」一事上，茲就以下三項文獻加以解開迷津：

> 1.在《昭代叢書、丙集》〈進序〉中，署以「康熙癸未仲夏新安張漸進也氏題」[22]。

> 2.《奚囊寸錦》提及：「余閨閣輇才不足，辱大君之著述，獨其巧思別趣，適資小窗兒女文話之助，因泚筆序之。既念先生負才不遇，畢業名山諸友朋文字投者，皆不殫齒芬游揚延譽，可謂文而豪矣！而余以族中一女子，謬承獎借俾登士安之末之位，則先生之視余其肯以脂粉鉛華而不以鬚眉金石乎……將繼諸君子而

---

[21] 《叢書集成續編－25》（台北：新文豐出版公司，1989 年），頁 532。原刊載於清·張潮輯：《昭代叢書、甲集》，唯中研院典藏之世楷堂藏版《昭代叢書、甲集》中，闕漏此「跋」，十分遺憾。

[22] 《昭代叢書、丙集》，頁 2 左。

得所請矣。康熙丁亥暮春上浣族女賢靜菴氏欲袚端肅書。」[23]

3.《奚囊寸錦》中提到:「顧其書成度閣已五十餘年,欲得刊布流傳,固匪朝伊夕,堂甥佳有癖捷悟,無能欣覩是編詫為得未曾有巫承授梓,見者於意云何!應知觸發靈機鈍子之方心可鑒……時乾隆甲申新秋潔川後學羅興堂舜章氏題於清遠閣。」[24]

由以上第一點可以換算出,此為西元 1703 年,當時張潮身心俱疲,遂答應其弟張漸共同參與丙集之編輯彙整工作。

而第二點換算則為西元 1707 年,是文乃族中晚輩所寫之序。序中對張潮充滿仰慕讚嘆之譽,其「既念先生負才不遇」一句當是追思之情油然而出。況此作並無他人增補,是以除非時日有所耽擱,否則序文中「謬承獎借俾登士安之位」當是一項張潮生前重要決定。

第三點「乾隆甲申」年為西元 1764 年,扣除序文中「五十餘年」,則張潮之「卒年」應以「西元 1707 年」為是,這和中研院之建檔資料不謀而合。

至於,另有黃慶來等人在注釋《幽夢影》時,則認為西元 1715 年他應該尚存於世,[25] 也屬訛誤。

由於張潮在 1703 年後,在各項藝文活動中幾已銷聲匿跡,無怪乎難以查證,但藉由以上的核對,其生卒年當為「西元 1650－1707 年」。

---

[23] 〈序 2〉,〈女賢靜菴氏序〉,頁 4。
[24] 〈序 1〉,〈羅舜章氏序〉,頁 3。
[25] 黃慶來等注釋:《幽夢影》(南昌:大陸江西出版社,1993 年),頁 1。緣由於《幽夢影》有楊復吉的〈跋〉,其署為「乙未夏日震澤楊復吉識」,所以才下此定論。但楊氏為乾隆時期文人(西元 1747－1820 年),故此「乙未年」乃是乾隆四十年(西元 1775 年)所增補,不可混為一談。

二、家世背景

　　張潮的祖籍爲徽州府歙縣（今安徽省新安縣），在其寫作署名時便常以新安爲代表。後幾經遷徙，於父親時喬遷江都（揚州）定居，而揚州是一個聚集許多鹽商的地方，張潮祖籍徽州，向來也是鹽商的重鎮，因此家族應該與鹽商關係密切。而新安與江都皆爲所愛。

　　論及張潮家世，得先從其先祖談起。其父張習孔云：

> 吾先世祖居建平縣，祖石橋府君，生二子。長，吾父；次，吾叔。
> 府君先老，卜築縣南蔣國村，家頗溫裕。萬曆丁未，吾生二歲，
> 石橋府君見背，祖母方太孺人獨持家[26]。

　　其曾祖父諱名石橋，在世時家業頗盛；曾祖母則是一位勤儉持家良善之人，而祖父之名則未提及。

　　張潮父親張習孔，號黃嶽公，年幼時家道已轉困窘，曰：

> 丙辰三月，不幸我父捐館；五月，祖母繼亡。不歲餘，家業蕩然。
> 時不孝習孔僅十一歲，弟法孔僅七歲。吾母煢然獨礬忍飢受寒，
> 拮据操作焦心刻苦，辛苦萬狀以保二雛。非母則不孝兄弟不知流
> 落何所矣[27]。

> 後吾長大，貧劇無聊，漫然回徽。幸列黌序，始奉老母，攜家屬
> 復歸祖居。栖敗屋半間，此外無寸土片瓦，一椀一箸恃舌耕為

---

[26]　清・張習孔著、張潮等輯：《檀几叢書》（清康熙34年新安張氏霞舉堂刊本），
　　　卷18，〈家訓〉，頁1右（中華民國中央研究院傅斯年圖書館典藏線裝書）。

[27]　清・張習孔：〈家訓〉，頁1左。

養⋯⋯吾為諸生十年，叨登兩榜，甫陟方面數月，不幸母太宜人享年八十而棄梧愴。嗚呼痛哉[28]！

其家不僅是孤兒寡母簷風几燭，且囊篋蕭然一貧如洗。這樣的貧困生活持續甚久，直至得官後才獲改善。習孔君，順治己丑進士，個性梗直堅毅，曾於山東任職，廉明有為，深得民心，據載：

督學山東，以廉明著一時。拔盡孤寒，案下皆知名士。山東士大夫至今譽之，既老，僑居江都，遂家焉[29]。

張潮之母親徐氏，是一位謹守三從四德的女人，其父曾言：

吾徐宜人，厥性剛正。不喜邪教，不生是非，不苟訾笑，不見外人，不登山玩景，不布施僧尼，足迹不出中閨。鉅家宅眷，每求納交相會，輒辭謝不允。妻族禮儀，風儉有節，此皆其善也。至於愛惜妾子，同於己生，尤善之善也，凡此皆子孫所當法也[30]。

其母之賢良德嘉，於「至於愛惜妾子，同於己生，尤善之善也」句中，便可一覽無遺。至於在張潮叔伯、姨舅方面，僅見叔「張法孔」，其餘並未有相關文獻說明。

---

28 清・張習孔：〈家訓〉，頁 1-2 右。

29 周駿富輯：《明代傳記叢刊・附索引》（台北：明文書局，1991 年）。此原為明・龔立本撰：《留溪外傳煙艇永懷》，現納入此叢刊中。

30 清・張習孔：〈家訓〉，頁 6。

　　另外在張潮的兄弟姊妹方面，一般文獻中出現比例較多的是協助他編輯《昭代叢書·丙集》的弟弟張漸。張漸，字進也，又字木山，生卒年不確定。除了協助他從事書刊校對、整理、收集、編輯等工作外，在《幽夢影》中也參與了「評語」的行列；而《幽夢影》第七十八則有「弟東囿」之評語，則是另一個弟弟。

　　日人合山究曾提及張習孔有四個兒子，張潮排行第二。[31]但四位中是否將「張澐」列入，合山究並未進一步說明；唯一可以推敲出的是，張潮兄弟之名均以「水」部作為命名依據。

　　至於張潮之後輩，在《明代傳記叢刊》外史氏有言：

> 歲丙子余客邗上者，幾一載。為文多就先生，先生亦以為孺子可教，不吝評閱；予又與其從子紹基交好[32]。

　　此之「從子」是「澐」或「漸」之子，抑或尚有他人，仍待查證。

　　大抵張潮家世，不能以「豪門或顯赫」來看待，但「簡明樸實與書香濃厚」洵為家風，正所謂「書香不可絕，書香一絕，則家聲漸趨於卑賤」[33]，世代傳承矣。

三、仕途際遇

　　「塞翁失馬，焉知非福」之於張潮可謂貼切！由於仕途未能宦達，反倒造就了他在文學界的美的展現。在《明人傳記叢刊》中談到：

---

[31] 〈解說—小品文學和張潮〉，頁17。
[32] 〈留溪外傳煙艇永懷（6），心齋居士傳〉，頁（128）-312。
[33] 清·張習孔：〈家訓〉，頁7。

潮幼穎異絕倫，好讀書，博通經史百家言。弱冠，補諸生，以文鳴大江南北。累試不第，以貲為翰林郎。不仕，杜門著書，自號心齋居士[34]。

至於日人合山究則說：

張潮最初也是為了通過科舉考試，從十三歲起到二十六歲左右，跟著老師努力學習。但是，天不從人願，終未能及第。康熙初年才以歲貢生得到「翰林孔目」的小官。不過他並不在乎官職，仍如往常一樣過著一般文人的生活。他的好友王丹麓在他放棄科舉之後，對於其生活方式曾說：「張子，個性曠達，蔑視功名。」[35]

和父親習孔君相比，張潮已是略遜一籌，況父親對於讀書考取功名一事，十分重視，而他竟成了「進了考場的門外漢」，或許最後只能如王晫所言，以「曠達」面對。

除了仕途不順利，人生際遇也頗遭挫折，以下三則文獻便記載著：

1.康熙三十八年（西元 1699 年），為一件政治案件牽連而被捕下獄，不久被釋放[36]。

2.予不幸于己卯歲，慎墮阱阱中，而肺附中山，不以其困也。而貲之，猶時時相喚喵，既無有有道丈人相助舉手，又不獲遇轟隱

---

[34] 〈留溪外傳煙艇永懷（6），心齋居士傳〉，頁（128）-310。
[35] 合山究譯註：〈解說—小品文學和張潮〉，頁17。
[36] 天津人民出版社、百川書局出版社主編：《中國文學大辭典》，頁5593。

娘鞏一泣愬之。惟暫學羼提波羅蜜，俟之身後而已[37]。

3.他在康熙三十八年（西元 1699 年）五十歲時，掉到洞穴中，折斷了腿，好像自此以後，生活起居就持續不如意的樣子[38]。

康熙三十八年（己卯年）當時他已五十歲了，由於清朝屢次大興文字獄，所以身陷纍紲應與一類政治案件有關。可惜的是沒有人能伸出援手，令他唏噓不已。至於第二點與第三點當屬同一件事；但誤將「墮阱」解爲「掉入坑洞」，實是不解其暗喻所造成之訛誤。其後雖然獲判無罪開釋，但終究是人生的一大污點。

生活的打擊已倍感煎熬，更因沒有健康的身體，顯得內心更爲沉寂：

余向苦胃弱，日食不過合許。此腹終歲枵然，未嘗一飽。見健飯者，輒羨之。非不欲飽也，不能飽也[39]。

居士年未五十，以嗜學故耳充。平居俗人大聲疾呼，皆不聞。若佳客與之論詩文，晰道理，講經濟之學，辯上下古今數千年以來事，雖柔聲低語，無一字不答也[40]。

張潮耳充是實情，影響健康也是事實；但更是另一種擺脫俗世，不願同流合污的悲嘆。其所著〈七療〉中，更藉蕪園主人道出心境：

[37] 《虞初新志》，下冊，〈總跋〉，頁 1。
[38] 合山究譯註：〈解說—小品文學和張潮〉，頁 17-18。
[39] 《昭代叢書、乙集》，〈飯有十二合說、跋〉，卷 40，頁 7。
[40] 〈留溪外傳煙艇永懷（6），心齋居士傳〉，頁（128）-311。

　　蕪園主人，抱悲憤鬱懣之疾。形容慘澹，情思消阻。目無淚而神傷，口不哀而憶苦。坐則悠悠忽忽，行則涼涼踽踽[41]。

而晚年生活拮据困窘，在《明代傳記叢刊》中記載著：

　　貧乏者，多資之以往；或囊匱則宛轉以濟。蓋居士未嘗富有也，以好客故竭蹶為之耳[42]。

雖具仁民愛物之胸懷，但也透露出他的「不善營生」，導致編纂書刊，而得面臨「巧婦難為」之窘境。在《昭代叢書‧乙集》中就出現張潮捉襟見肘的自白：

　　僕賦性迂拙，不諳經營。自去歲孟夏以來，生計蕭條益甚。此集之成蓋已拮据萬狀矣。嗣後或有投贈新編，竊恐嚮往有心流通，無力徒滋顏甲而已[43]。

大抵官運多舛、檻猿之憾、家私之缺、陳疾所苦，如此境遇實難叫他「鼓掌而笑」[44]的！

四、世人評價

---

[41] 張潮：〈七療〉，引自《檀几叢書》，卷32，頁1右。

[42] 〈留溪外傳煙艇永懷（6），心齋居士傳〉，頁（128）-311。

[43] 《昭代叢書‧乙集》，〈凡例〉，頁2。

[44] 〈七療〉，引自《檀几叢書》，卷32，頁6。原文：「言未既，蕪園主人鼓掌而笑，色飛眉舞，耳目發皇，不知疾之已去。」

對於張潮的評價，首先就其文學地位而言，文學史一類專書，略而未提。但探討有關於明清小品的一些研究者則對其表示肯定，如今人李愚一就認為：

> 由明末而清初，還有一些不羈才子、浪漫文人。他們繼承晚明浪漫文學思潮，如金聖嘆、李漁、張潮、袁枚諸子，其小品文創作或文學理論，皆接跡中郎……這些作家不僅繼承了中郎的精神各展所長，而且將性靈文學一脈相傳下來[45]。

不由分說的是，他對於張潮的地位是予以肯定的。至於日人合山究也談及：

> 張潮是明末以來源源不絕之山人派小品文學的最後舵手。即使從他以後陸續出現了袁枚、鄭板橋、曹雪芹、汪容甫、沈三白等性靈派文學作者，但此一言志文學的小品文之風氣活力已漸漸收斂消失，甚至完全斷絕。基於這個原因，張潮不得不在文學史上佔有一個位置，作為表徵[46]。

顯見他認為倘若沒有張潮做中間橋樑，又何來日後的袁枚等大家呢！

其次在文學貢獻方面，做為落第的書生，既然不能在官場馳騁，遂將其畢生心力投注於小品文學的編輯、蒐集與創作，並因《幽夢影》一書而成名至今，算得上小品天地的忠誠且優秀的傳播者。

---

[45] 李愚一：《袁中郎小品文研究》（高雄：國立高雄師範大學中文碩士論文，1986年），頁 266-272。
[46] 〈解說—小品文學與張潮〉，頁 45。

第二節　以文會友，冠蓋雲集

欲了解張潮之交遊情形，得先了解張潮的嗜好習性。畢竟「逐臭之夫」或是「芝蘭之輩」，皆各取所需，旁人無以置喙的。茲分述於下：

一、嗜好習性

在所編的書中，張潮自言：

> 吾儕性之所近，往往欲萃薈其所最嗜者以自怡悅。譬之集千狐之腋以為裘；合五侯之鯖而作饌。寧不衣之適體而餐之果腹乎哉[47]。

> 僕賦性迂拙，于世事一無所好，獨嗜書秘笈。則不啻性命以之。嘗欲集為一編，以供稽覽……不欲私為枕秘，願與同志者，共欣賞而寢食之[48]。

可知他樂其所編，享其所編，能將英華薈萃，不僅可以奇文自享，更可達到共賞之境。

因為編書與創作，「時貽尺素」便也成了生活中的一大喜樂，尤侗就曾說：

---

[47] 清·張潮輯：《昭代叢書、甲集》（清道光 29 年，世楷堂藏版），〈張序〉，頁 1（中華民國中央研究院傅斯年圖書館典藏線裝書）。以下有引用此集時，不再注中研院字樣。

[48] 《昭代叢書、甲集》，〈張序〉，頁 1-2。

張子有嗜痂之癖，時貽尺素，以所著書相質。如《丹笈筆歌》、《亦禪錄》、《幽夢影》、〈聯莊〉、〈聯騷〉、《集李》《集杜》之類，橫披側出，卷頁等身。人巧極天工，錯斯已奇矣[49]。

尤侗視其患有「嗜痂之癖」，可見張潮對於創作之投入；而且不「敝帚自珍」，願敞開心胸與先進切磋，察納雅言。

經由這樣的機緣，張潮仰慕先賢或是當代傑出者，全然流露：

我又不知在隆、萬時，曾於舊院中交幾名妓？眉公、伯虎、若士、赤水諸君，曾共我談笑幾回？茫茫宇宙，我今當向誰問之耶[50]？

僕性耽幽寂，終歲杜門，足跡不踰里閈，緗紜罔及都邑。即生平素所仰慕泰山北斗者，概不敢妄通性字。以故名山大業，未能徧覽。如王阮亭先生之〈談文〉、〈談藝〉等，王西樵先生之〈朱鳥逸史〉、〈閭閣語林〉等[51]。

當然潮流所趨，附庸風雅，享受生活，他也是箇中翹楚：

藝花可以邀蝶，累石可以邀雲，栽松可以邀風，貯水可以邀萍，築臺可以邀月，種蕉可以邀雨，植柳可以邀蟬[52]。

---

[49] 《昭代叢書、甲集》，〈尤序〉，頁1右。
[50] 見本著附錄一《幽夢影》第109則，頁229。
[51] 《昭代叢書、甲集》，〈選例〉，頁1-2。
[52] 見本著附錄一《幽夢影》第22則，頁206。

營造生活，不僅讓自己的生活更加有味，更能藉此邀來更多的同好。《明代傳記叢刊》裡便有明確的敘述：

> 名走四海，雖黔滇粵蜀僻處荒徼之地，皆知有心齋居士矣。居士性沉靜，寡嗜欲，不愛濃鮮輕肥，唯愛客。客嘗滿座，淮南富商大賈，惟尚豪華，驕縱自處，賢士大夫至，皆傲然拒不見，惟居士開門延客[53]。

賓客滿座，名揚四海，但又不趨炎附勢，意在「以文會友」，使他的生命充實滿足。

二、交遊廣闊

其實翻開《幽夢影》，映入眼簾的眾多評語者，便知張潮交遊廣闊，以下茲臚列幾位，藉以一窺彼此互動。

（一）張竹坡

張竹坡，名道深，字自得，竹坡為其號，徐州銅山人。得年僅二十九歲，是一位早逝的才子。

二人結識是在張竹坡第五次的科場失利，為了要謀求生計，已享有聲譽的他，寄寓揚州，遂在此時認識了文壇領袖張潮。彼此互贈著述，書序往來，大他二十歲的張潮，與之不僅「一見如故」，而且真可謂「同是天涯淪落人」。

而也就在過世前的兩、三年時間裡，他為《幽夢影》寫下八十三則

---

[53] 〈留溪外傳煙艇永懷（6），心齋居士傳〉，頁（128）-311。

評語[54]（另關於每人評語則數，在本著〈附錄二〉中，已做了詳細統計）。
至於竹坡的《金瓶梅》評點刊刻，張潮曾給予相當正面的肯定；而竹坡
對於張潮更是十分尊敬，在給張潮的信裡，不時稱之為「老叔檯」、「昭
代之偉人」、「儒林支柱石」；而自稱「小姪」、「學生」，尊卑之禮，躍然
可見。[55]當然在《幽夢影》中，他也以「吾叔」作稱呼。

　　關於叔姪關係，另有專文提到：「清代歙縣著名學者張潮是他父親
的同父異母弟，因而稱張潮為叔。」[56] 而日人合山究也表示張竹坡乃是
他的外甥，[57]但筆者以為此乃同一「宗族」之故，且證據並不充分，仍
有待進一步求證。

　　茲引用張竹坡的評語做為輝映（引自本著附錄一，不另注）：

035	少年讀書，如隙中窺月；中年讀書，如庭中望月；老年讀書，如臺上玩月。皆以閱歷之淺深，為所得之淺深耳。	● 張竹坡曰：吾叔此論，直置身廣寒宮裡，下視大千世界，皆清光似水矣。

54　楊淑惠：《張竹坡評論金瓶梅人物研究》（高雄：國立高雄師範大學國文研究
　　所碩士論文，1995 年），頁 7-14。當中的第二章第一節針對張竹坡的生平，
　　參酌諸多資料，加以陳述，此處筆者只約略引用部分資料。

55　引自林炫玡：《張竹坡評點金瓶梅之小說理論》（台北：國立政治大學中文研
　　究所碩士論文，1995 年），頁 76（論文中頁 81-84 附有根據吳敢先生所著《張
　　竹坡與金瓶梅》一書刪錄的〈張竹坡年表〉，其中詳列在康熙三十五年秋冬間，
　　竹坡結識張潮等人，有〈與張山來〉書三封，並參與《幽夢影》批評，而這
　　些稱謂出現於第一封）。

56　林炫玡：《張竹坡評點金瓶梅之小說理論》，頁 69。論文中注釋提到英人阿瑟、
　　戴維、韋利在〈金瓶梅引言〉（載於《河北大學學報》，1981 年第 1 期），提
　　到清代歙縣著名學者張潮是張竹坡父親同父異母弟，因而稱張潮為叔。

57　〈解說—小品文學家張潮〉，頁 18。

（二）孔尚任

孔先生（西元 1648－1684 年）諱尙任，字聘之，又字季重；號東塘，又號岸堂；別署云亭山人，山東省兗州府曲阜縣人。他不僅通音律之學，亦精於書畫之鑑賞，對於考據、祖庭典故熟諳，是博學頗負盛名之文人。其著作以《桃花扇傳奇》等最受到後人矚目。

先生喜交遊，在江南時期各項聚會頻仍，以下特提列與張潮往來之三例，[58] 藉以了解：

1. 《湖海集》卷十一，有〈與張山來札〉一文，對於張潮贈圖書一事，於文中表示：「所賜諸藏集，以捧至闕里，增輝奎宿矣。」

2. 《湖海集》卷一，說道：「仲冬如皋冒辟疆、青若，泰州黃仙裳、交三……新安方寶臣、張山來、諧石……集廣陵邸齋聽雨分韻詩。」

3. 康熙三十七年冬，以所著〈出山異數記〉寄友人張潮閱。張潮將其選錄於《昭代叢書、甲集》中，並題詞：「輒向余道先生見懷之殷，余始以尺素相通問，而先生書與余，每詢問諸同人近況何似？余益信先生之於友道，真所謂始終如一。」

二人藉由書信傳遞信息，藉由聚會交換心得，絲毫無文人相輕之鄙，二人之交情也因此而更爲堅定。另外，在《幽夢影》中他也有參與

---

[58] 大抵以上三點有關兩人互動資料，乃參考陳萬鼐：《清孔東塘先生尙任年表》（台北：台灣商務印書館，1980 年），《孔尙任研究》（台北：台灣商務印書館，1971 年）二書彙整。

評語，舉例如下：

025	新月恨其易沉，缺月恨其遲上。	● 孔東塘曰：我唯以月之遲早，為睡之遲早耳。

（三）王晫

　　王晫，初名棐，號木庵，一號丹麓，又號松溪子，浙江仁和人。生於明思宗崇禎九年（西元 1636 年），卒年不詳。好學博覽，聚所藏經史子集數萬卷於霞舉堂，每讀一書，必貫徹之乃止。又喜賓客，客至，典衣命酒，士大夫多與之交[59]。

　　由於張、王兩人均有同好，遂成了「臭味相投」的好夥伴。心齋說道：「康熙甲戌初夏（西元 1694 年），晤王君丹麓于西子湖頭，出所輯《檀几叢書》焚香共讀。予也載寶而歸，校梓行世，頗為同人所賞。」[60] 王晫則言：「吾友張山來，復增補其所未逮。嗚呼，可謂盛矣。以叢書傳若干種，以若干種之傳傳叢書，豈復有湮滅散佚。」[61]

　　而這股熱忱繼續延燒，在丁丑年（西元 1697 年）復完成《檀几叢書、二集》，之後兩人又有編《餘集》之決定。

　　除了編書，從此〈跋〉的內容，更了解二人之友好：「松溪子性愛松，每往溪上聽松。心有所得，錄而藏之。今閱其書，不啻松濤之謖謖，溪響之潺潺，謂非得力于松溪，而如是乎！吾家在萬山中，松枝偃蓋，溪水縈迴，其妙殆無以過。使丹麓乘興來遊，吾當與之把臂入林，樂而

---

[59] 楊家駱編：《中國文學家大辭典》（台北：世界書局，1974 年），下冊，頁 1394。
[60] 《昭代叢書、甲集》，〈張序〉，頁 1 左。
[61] 《檀几叢書》，〈王序〉，頁 2 右。

忘返；又不知增幾許佳話矣。」[62]

對於王晫，張潮有讚美有歆羨，更有一份同遊享受山林之樂的期待。當然王丹麓在《幽夢影》中也有一些評語，如：

104	萬事可忘，難忘者名心一段；千般易淡，未淡者美酒三杯。	● 王丹麓曰：予性不耐飲，美酒亦易淡，所最難忘者，名耳！

（四）余懷

余懷，清初詩人（西元 1616－1695 年），字澹心，又字無懷，號曼翁，別號鬘持老人，莆田人。家業富有，一生未曾應試入仕[63]。

余懷曾為《幽夢影》寫序，序文中說道：「天都張仲子心齋，家積縹緗，胷羅星宿，筆花繚繞，墨瀋淋漓……其《幽夢影》一書，尤多格言妙論，言人之所不能言，道人之所未經道」[64]，可見得對於張潮之作品，讚譽有加。

張潮在〈硯林・跋〉中提到：「曼翁乙亥之夏，以此帙手授于予，予獲之不啻拱璧，因載之叢書中。方授梓時，適友人自吳郵一椷來云，先生已于六月荷花誕日弃硯長往，予聞之不勝人琴之嘆。」[65] 這是康熙三十四年（西元 1695 年）之事（上所述余懷死於西元 1695 年，便是筆者依此而定，因為一般文學大辭典中並未標明），難過之情溢於言表！

---

[62] 《昭代叢書、甲集》，〈松溪子跋〉，卷 18，頁 7。

[63] 天津人民出版社、百川書局出版社主編：《中國文學大辭典》，頁 2685。

[64] 清・張潮輯：《昭代叢書、別集》（清道光 29 年世楷堂藏版），〈鬘持老人序〉，卷 29，頁 1 左-2 右（中華民國中央研究院傅斯年圖書館典藏線裝書）。以下再次引用，不另注中研院字樣。

[65] 《昭代叢書、甲集》，卷 42，〈硯林・跋〉，頁 19 右。

至於他在《幽夢影》中之評語如下：

| 05 | 為月憂雲，為書憂蠹，為花憂風雨，為才子佳人憂命薄，真是菩薩心腸。 | ● 余淡心曰：洵如君言，亦安有樂時耶？ |

（五）尤侗

尤侗，字同人，更字展成，號悔菴，晚號艮齋，又號西堂老人，江蘇長洲人。所作詩文流傳至禁中，世祖目之為「真天子」；後入翰林，聖祖稱為「老名士」，天下羨其榮遇，比之唐時李白[66]。

尤侗曾為《昭代叢書・甲集》寫序，〈序〉中言：「新安張子山來，卜居維揚。予聞其名，未見其人也……乃張子有嗜痂之癖，時貽尺素，以其所著書相質」[67]，張潮與尤侗生卒年相當，從文中可知二人是以「筆談」建立友誼，雖有「未見」之憾，但不影響互相欣賞之美德。是以尤侗在《幽夢影》之中，評語也是十分踴躍的。茲取一例，以供參考：

| 074 | 由戒得定，由定得慧，勉強漸近，自然鍊精化氣，鍊氣化神，清虛有何渣滓？ | ● 尤悔菴曰：極平常語，然道在是矣。 |

（六）黃周星

黃周星，字九煙，號而菴，江蘇上元人。生於明神宗萬曆三十九年，卒于清康熙十九年（西元 1611－1680 年），享年七十[68]。

---

66 楊家駱主編：《中國文學家大辭典》，下冊，頁 1316-1317。
67 《昭代叢書・甲集》，〈尤序〉，頁 1-2。
68 楊家駱主編：《中國文學家大辭典》，下冊，頁 1296-1297。

張潮在〈酒社芻言‧跋〉中談及:「余嘗同黃先生飲,所談亦復不拘何事,大約不喜苛耳。余則謂苛于令可也,苛于酒,不可也。令取其佳,酒隨乎量,俾客不以飲酒為苦,而以觴政為樂,不亦可乎!」[69] 又〈將就園記‧跋〉裡也說道:「九煙先生以〈將就園記〉示余,將就云者蓋自謙其草率苟簡云耳。余笑謂之曰:『公此園殊不將就。及覽乩仙事,乃知不惟不將就而已;且大費彼蒼物料,公其謂之何?』夫世人之園,經營慘澹,乃未久而即廢為丘墟。孰若先生此園竟與天地相終始乎!心齋居士題」[70],顯見閒談輕鬆,互作調侃,互為稱譽,不啻為二人相處之道。至於黃九煙在《幽夢影》中的評語列舉如下:

044	古之不傳于今者,嘯也、劍術也、彈棋也,打毬也。	● 黃 九 煙 曰 : 古 之 絕 勝 于 今 者 , 官 妓 、 女 道 士 也 。

但黃九煙與其他評者不同,因為他的言論成了主題,張潮將其拿來討論,並加諸個人意見,可見二人友誼非比尋常。如:

019	黃九煙先生云:古今人必有其偶隻,千古而無偶者,其惟盤古乎?予謂盤古亦未嘗無偶,但我輩不及見耳。其人為誰?即此劫盡時最後一人是也!

以上只列六位友人,難免有「遺珠之憾」,是以如周亮工、殷日戒、冒辟疆、毛先舒、宋犖、吳偉業、杜濬、龔鼎孳、陸次雲、江之蘭等,雖和張潮也交誼匪淺,但也只好套一句張潮的話:「未能借光入選」了。

---

[69] 《昭代叢書、甲集》,卷39,〈酒社芻言小引〉,頁4右。
[70] 《昭代叢書、甲集》,卷23,〈將就園記跋〉,頁19右。

第三節　筆花繚繞，編寫斐然

　　讀書、寫書、編書、以其書會友，是張潮最大的志業！即便時勢有如龔自珍〈詠史〉一詩中所說：「避席畏聞文字獄，著書都爲稻粱謀；田橫五百人安在？難道歸來盡列侯！」[71] 但父親張習孔告誡子孫以書香傳家，並著有「《大易辨志》、《檀弓問》、《詒清堂集》、《雲谷臥餘集》等書」[72]，是以終其一生與書爲伍，的確就是張潮的寫照。

　　有關張潮的著作各項文獻說明略有不同，茲逐列於下：

　　一、《歙縣志》：

　　　著有《檀几叢書》、《昭代叢書》、《虞初新志》、《古文尤雅》、《四書會意解》、《心齋詩鈔》、《聊復集》、《友聲集》、《尺牘偶存》、《笙詩補辭》、《咏物詩》、《心齋雜俎》、《幽夢影》、《奚囊寸錦》[73]。

　　二、《中國文學大辭典》：

　　　著有〈花影詞〉、〈貧卦〉、〈書本草〉、〈玩月約〉、〈花鳥春秋〉、〈飲中八仙令〉、〈酒律〉各一卷；另有《幽夢影》一書[74]。

---

[71] 呂自揚編：《歷代詩詞名句析賞探源》（高雄：河畔出版社，1990 年），頁 153。

[72] 《中國地方志集成・安徽府縣志輯 51（歙縣志）》，卷 7，人物志，文苑 10，頁 287。

[73] 《中國地方志集成・安徽府縣志輯 51（歙縣志）》，卷 7，人物志，文苑 10，頁 288。

[74] 天津人民出版社、百川書局出版社主編：《中國文學大辭典》，頁 5593。

三、《明代傳記叢刊》：

作〈亦禪錄〉、〈唐音丹笈〉、〈聯莊〉、〈聯騷〉、〈七療〉、〈雜俎〉、
〈筆歌〉等各一卷。另有《心齋集字詩》、《聊復集》、《清淚痕》、
《叢書三部》、《虞初新志》等書[75]。

四、其他彙整：

（一）《曹陶謝三家詩》、《張山來詩集》（參見中華民國國家圖書
　　　館電腦建檔資料，待後另注）。
（二）〈補花底拾遺〉一卷（參見《檀几叢書》，不另注）。
（三）〈焦山古鼎考〉一卷[76]。
（四）《集李集杜詩》、〈血淚痕〉、《鹿蔥花館詩鈔》[77]。
（五）〈滇南憶舊錄〉（中華民國中央研究院電腦建檔資料）[78]。

從以上之資料，顯見有一些是重複出現的；而有一些應該是書名或

---

[75] 〈留溪外傳煙艇永懷（6），心齋居士傳〉，頁（128）310-311（該文原有一些
串聯之字，暫時捨去，只保留書名或篇名）。
[76] 《武英殿本四庫全書總目提要》，第3冊，卷116，子部，譜錄類存目5，頁（3）
-518。
[77] 引自合山究譯註：〈解說―小品文學與張潮〉，頁17。
[78] 中研院建檔之〈滇南憶舊錄〉，經查證在《叢書集成初編》（北京：中華書局，
1985年）第2969冊中，乃爲「清・張泓」纂。而《滇南憶舊錄》中共有四十
多篇作品，包含記、志略、筆記小說、詩等，中研院所採用的便是其中的〈轉
生異〉、〈成公祠〉兩篇，但其來源則是《清舊小說・己集》（上海：商務印書
館，1914年），頁520-522之資料。由此可知該小說選集標注爲「張潮著」，
實乃有誤，也使中研院以訛傳訛。因此應當將其剔除於張潮著作之外。

篇名不同，但所指乃同一篇或同一本書；當然有一些則是無從印證，徒留下「猶存其名」的遺憾。

以下就彙整的內容分為兩大方向介紹，一是「編書」，一是「創作」。

一、編輯叢書

此處定義，採廣義為主，因此以下諸書全包含在內。

(一)《昭代叢書》

按《昭代叢書合刻·序》的說明，《合刻》共計五百六十篇（完成張潮原有〈十幹〉命名之志）。但實際由張潮所編輯者，僅甲、乙、丙三集，計一百五十種而已；其他均為後人所增添，故本文探討時只以此三冊為主。

1.甲集：

由張潮獨力完成，共計五十卷。甲集目錄分第一帙：「禮」，計七卷；第二帙：「樂」，計十卷；第三帙：「射」，計八卷；第四帙：「御」，計六卷；第五帙：「書」，計十卷；第六帙：「數」，計九卷（原未附各篇作者姓名，合刻時得加以補充）。由禮樂射御書數六項可知，此乃巧思安排；而慕聖賢之道，亦了然於心。

2.乙集：

仍由張潮所完成。乙集之篇目計有，[79] 第一帙：「常」，計八卷；第二帙：「富」，計十卷；第三帙：「貴」，計八卷；第四帙：「樂」，計九卷；第五帙：「未」，計六卷；第六帙：「央」，計九卷，共五十卷。張潮曾自言，此集之成蓋已拮据萬狀矣，但對於丙集之出版仍心存寄託。

---

[79] 此依合刻本而定。現中研院典藏乙集只有四十卷，恐是散佚。至於內容與合刻本大同小異，而「帙」名則不同。

3.丙集：

丙集乃張潮與弟張漸共同完成，是集完成時間爲癸未之夏（康熙四十二年，西元 1703 年），和以往的甲乙集完成時間相比，大有拖延；而己卯年（康熙三十八年）所發生被牽連下獄之事，在〈選例〉中也有所說明。丙集之目錄如下：第一帙：「黃」，計有三卷；第二帙：「絹」，計五卷；第三帙：「幼」，計五卷；第四帙：「婦」，計八卷；第五帙：「外」，計七卷；第六帙：「孫」，計四卷；第七帙：「靈」，計九卷；第八帙：「臼」，計九卷，共有五十卷。

雖然在〈選例〉中有言，「以待機緣之至」，但之後卻再也沒有丁集產生。

（二）《檀几叢書》

王晫是主編，而張潮則參與校對增訂之工作，兩人合作無間。有關《檀几叢書》之目錄內容爲：第一帙：「東」，有八卷；第二帙：「壁」，有八卷；第三帙：「圖」，有九卷；第四帙：「書」，有十一卷；第五帙：「府」，有十四卷。當中張習孔（張潮父）有兩卷，張潮作品有四卷，張澐有一卷。

（三）《檀几叢書、二集》

此集乃二人共輯，不同於第一集，張潮只是協助，故此集兩家之著作皆不選！《檀几叢書二集》之目錄爲：第一帙：「西」，有七卷；第二帙：「園」，有九卷；第三帙：「翰」，有八卷；第四帙：「墨」，有十五卷；第五帙：「林」，有十一卷，仍是五十卷。爲丁丑年（西元 1697 年）秋天完成。

（四）《檀几叢書、餘集》

至於《餘集》之出現，實則《二集》序文已預告。《餘集》之目錄

云[80]：此集之編輯有別於前一、二集，將各卷分為卷上、卷下。卷上自〈山林經濟策〉起，迄於〈黔西古跡考〉，計三十卷；卷下，自〈五嶽約〉起，至〈黃熟香考〉，計十七卷；另外加上〈附政〉，張潮有六卷，王丹麓有四卷，計十卷，共計五十七卷。

　　總計由二人編輯之《檀几叢書》有一百五十七卷，而二人分別於各卷之首尾加入〈小引〉、〈題辭〉、〈跋〉，和《昭代叢書》互為媲美。

　　（五）《虞初新志》

　　1.動機：《虞初新志》自序中：「簡帙無多，蒐采未廣，予是以慨然有《虞初後志》之輯」[81]。

　　2.內容：依其目錄所列，共有二十卷，一百四十三篇。大抵屬於明清文言筆記小說。

　　3.影響：除了作為文學上之析賞傳誦，當可為重要歷史資料之參考，對後世文壇、說苑產生極大之影響[82]。

　　（六）《曹陶謝三家詩》

　　1.動機：合刻《曹陶謝三家詩》意即三家合併，旨在同行同耀使世人同見，但不影響其孤行之質。

　　2.內容：選錄曹子建、陶淵明、謝康樂等三人詩作。

　　3.特色：誠如其序文中所言：「今三家詩俱在，或質樸高老，或沖夷恬淡，或典麗精彩，不啻德秀之碑，可名三絕。」[83] 此外，其字體秀美疏朗，也是值得欣賞的。

---

[80] 清‧張潮等輯：《檀几叢書‧餘集》，〈凡例〉，頁 1-2，（此書彙整於《檀几叢書》內，見中華民國中央研究院傅斯年圖書館典藏線裝書）。以下若再引用，不另注中研院等字樣。

[81] 《虞初新志》，上冊，〈自序〉，頁 4-5。

[82] 《虞初新志》，上冊，〈前言〉，頁 1-2。

[83] 《合刻曹陶謝三家詩》，〈序〉，頁 1。

二、著作

這一部分要談的是他的個人著作，分「專書」與「其他散論」兩項說明。

（一）專書

1.《幽夢影》

此書是本論文之重點，留待第二章以下再逐一探討。

2.《奚囊寸錦》

(1)內容：在內容部分細分爲讀法四卷，圖分上中下三卷，圖有百幅之多，圖與讀法互爲幫襯。

(2)特色：茲藉序文中諸家之言綜合如下，①宛轉玲瓏回題起義，體物情而工傅會。②鬥巧爭奇莫不以文爲戲，藏頭拆字也知是語皆禪。③獨其巧思別趣，適資小窗兒女文話之助。④韜略無所發揮，舉胸中十萬甲兵括而藏知奚囊，[84]可謂：「天山一片石，壯士錦衣歸。」徒文之巧乎！

茲舉一、二例（書影1、2），以做印證：

書影－1（圖）　　　　（讀法）　　　　　　（原詩）

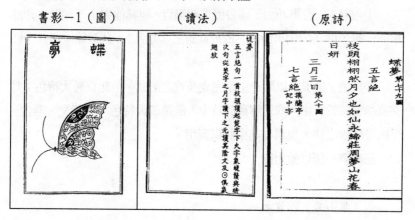

---

[84]《奚囊寸錦四卷》，〈各序〉，頁1-6（特色乃從各序文中彙整而得）。

　　　　書影－2（圖）　　　　　　　　（讀法）

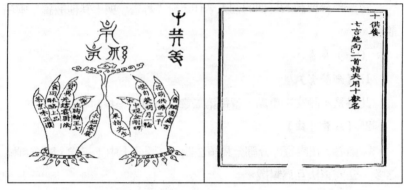

3.《張山來詩集》

　　前文提及張潮有《張山來詩集》、[85]《心齋詩鈔》、《鹿蔥花館詩鈔》
三書，但未見後二者，竊以爲此三書實則一也，因爲《張山來詩集》是
以手鈔本呈現。

　　⑴內容：此詩集乃由干筠書屋重新編目，與其他完全不相關之作品
編成一書，而《張山來詩集》放於此書之〈卷八〉，共選錄一百九十四
首。

　　⑵特色：集子中以同一主題完成多首之形式，是此集最大特色；其
次將題目藏於詩中，或是解釋於詩中，是第二大特色；而回文、離合、
平仄等巧妙之法，也常在其中蜿蜒運用。

　　茲列舉一例以做對照：

　　　　〈集山名〉八首之一

---

[85] 清・張潮撰：《張山來詩集》（中華民國國家圖書館善本書庫典藏，此集屬舊
　　鈔本，現以微卷處理）。以下再次引用時，不另注國圖字樣。

最愛秋山似畫眉，蒼巖白石結相知。上方遙出雲中寺，夾谷平開雁宕池。

（二）其他散論

此乃介紹單篇的卷、帙一類作品。

1.〈聯莊〉

(1)依據：〈聯莊〉一卷，[86] 乃以《莊子》一書爲底本，轉化成爲文章的靈魂。

(2)特色：由於張潮將《莊子》原文做了拆解，並未做有順次，雜拼意匯，遂使其新成立之文句，又另有戛然而止之意。以下列舉其中文句，以茲對照：

> 九萬里而南，九萬里而上。笑鷿鳩斥鷃，那識榆枋之外，別有天池。八千歲爲春，八千歲爲秋，嘆朝菌蟪蛄，不知晦朔之全，寧爲上古。

2.〈聯騷〉

(1)依據：〈聯騷〉一卷，[87]由篇名望文生義便知取材於《楚辭》一書。

(2)特色：同於〈聯莊〉之寫法，均是依其原文而模擬出另一種構思。茲舉例於下：

> 名曰正則，字曰靈均，溯高陽之苗裔，壽比天地，光齊日月，遊

---

[86] 《檀几叢書》，卷24，頁1-7。
[87] 《檀几叢書》，卷24，頁8-9（附於〈聯莊〉之後）。

重華之崑崙。

3.〈七療〉

(1)出處：〈七療〉[88] 收在《檀几叢書》。

(2)內容：包含蕪園主人與客之對話一文，以及程未能與貫玉二人所寫的評。若按內文之意涵推論，蕪園主人當是張潮的化身。

(3)特色：從中可歸納出幾項特色：①多用典故。例如客曰：「何以解憂，唯有杜康。佳名歡伯，雅號瓊漿」，此處將魏武帝曹操之〈短歌行〉之詞句用於其間，而酒之名也由「歡伯」、「瓊漿」取代。②以寓言式呈現。全篇仿摹《楚辭》中〈漁父〉之模式，藉由主客問答，引出內心的感慨。③寄寓達則行儒墨之仁愛，窮則存佛道之胸臆。④對於友朋之愛、世間冷暖充滿期待。

4.〈酒律〉一卷

(1)出處：〈酒律〉一卷，[89]收於《檀几叢書》卷三十八。

(2)內容：主要是「五刑之屬」的說明。

(3)目的：任何法律均俱嚇阻規勸之用，倘若仍執意違犯，只好依法處理。

5.〈書本草〉一卷

(1)出處：〈書本草〉一卷，[90] 見於《檀几叢書、餘集》。

(2)內容：這是一篇短文，文中將四書、五經、諸史、諸子、諸集、釋藏道藏、小說傳奇分列為七項藥方，逐一說明其效用。

(3)特色：書能醫心治俗，藥能治病養身，二者實令人耳目一新。

---

[88] 《檀几叢書》，卷 32，頁 1-7。
[89] 《檀几叢書》，卷 38，頁 1-9。
[90] 《檀几叢書、餘集》，附政，頁 40。

6.〈貧卦〉一卷

(1)出處：〈貧卦〉一卷，[91] 見於《檀几叢書、餘集》內。

(2)內容：以《易》爲本，將「貧」做了最佳詮釋。

(3)特色：雖不免苦中作樂，但不失文人忠厚信實本色。

7.〈花鳥春秋〉一卷

(1)出處：〈花鳥春秋〉一卷，[92] 選自《檀几叢書、餘集》。

(2)特色：評語中：「尺幅之中，而四時之氣已備」，當可爲此文之特質；除此，生活之情趣，也藉由觀察了解中，有更細緻的刻畫。而這些在《幽夢影》裡俯拾皆是。

8.〈補花底拾遺〉一卷

(1)出處：〈補花底拾遺〉一卷，[93] 選自《檀几叢書、餘集》。

(2)特色：陰柔之思，溫婉之意，令人陶醉，無怪乎王丹麓在評語中言：「柔鄉韻事，一一拈出，吾願普天下才貌女士，都應繕寫一通，置之座右以爲日課。」

9.〈玩月約〉一卷

(1)出處：〈玩月約〉一卷，[94] 選自《檀几叢書、餘集》。

(2)內容：分爲「一之人」、「二之地」、「三之物」、「四之事」四個項目敘述。

(3)特色：賞心悅目，精心規劃。

10.〈飲中八仙令〉一卷

---

[91] 《檀几叢書、餘集》，附政，頁42。
[92] 《檀几叢書、餘集》，附政，頁44-45。
[93] 《檀几叢書、餘集》，附政，頁46-47。
[94] 《檀几叢書、餘集》，附政，頁48。

(1)出處：〈飲中八仙令〉一卷，[95] 選自《檀几叢書、餘集》。

(2)內容：乃是藉前人杜甫〈飲中八仙歌〉一詩，做為行酒令之用。

(3)方法：其中提及「逢口則飲，口穿破者不算；逢鉤便轉，順行起令」等。

茲列書影於下：

書影－3（上、下共二圖，各圖以左右順序對照而成）

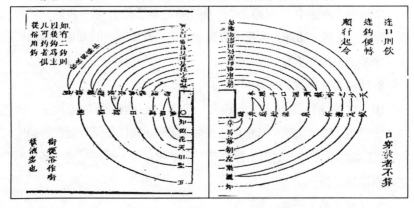

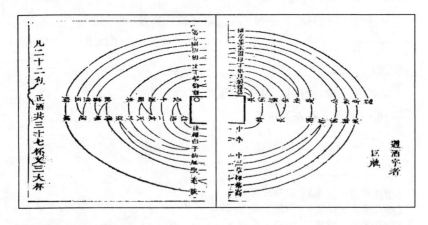

---

95 《檀几叢書、餘集》，附政，頁 49-51。

11.〈心齋雜俎〉二卷

(1)出處：〈心齋雜俎〉二卷，[96] 乃依《清史稿》而定。

(2)內容：若依《明代傳記叢刊》中記載：「張潮作〈雜俎〉一編，酒令、彈詞、算法、鐙謎，罔不具。」[97] 顯見內容多樣。

(3)特色：以科學激盪，數字也可以是一種創作。

茲附書影如下：

書影－4（由左至右列舉三圖）

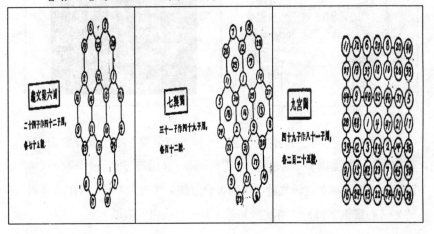

12.〈焦山古鼎考〉一卷

(1)出處：〈焦山古鼎考〉一卷，[98] 收錄於《昭代叢書、乙集》內。

(2)目的：當是表彰當年共襄盛舉者，並認定他們之貢獻與此鼎共垂不朽。

(3)評價：《四庫全書總目提要》則以為：「潮則又就寺中重刻石本為

---

[96]《新校清史稿》，子部，雜家類，卷 147，志 122，藝文 3，頁 4364。

[97]〈留溪外傳煙艇永懷（6），心齋居士傳〉，頁（128）-311。

[98]《昭代叢書、乙集》，〈焦山古鼎考〉，卷 36，頁（1）-16 右。

之益，失真矣。」[99]

　　茲附上書影以做對照：

書影－5（原鼎與鼎文）

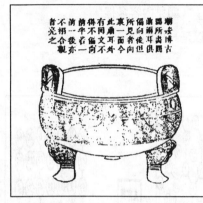

　　除了上列著作之外，有些作品並未能一窺全貌！如：〈友聲集〉、〈尺牘偶存〉、〈聊復集〉、〈花影詞〉、〈笙詩補辭〉、〈唐音丹笈〉、〈筆歌〉、〈亦禪錄〉、〈血淚痕〉、〈詠物詩〉、《四書會意解》、《古文尤雅》、《集李集杜詩》、《心齋集字詩》、《清淚痕》等，有待日後再做追蹤。

　　不得志的他幸而有大千世界的涵蘊，博學多聞的習性，以及三教九流的友人互相切磋，遂使他有了寄託之屬。但卻只留下似幽如夢成影的一生，殊為可惜。

---

[99]《武英殿本四庫全書總目提要》，子部，第 3 冊，卷 116，譜錄類存目 5，頁（3）-519。

第二章　《幽夢影》的體例

　　《幽夢影》一書之體例該如何歸類，看法不一。明代徐師曾談到：「夫文章之有體裁，猶宮室之有制度，器皿之有法式也。」[1] 不同的文體，都有各自的體式，以利區隔與辨識，《幽夢影》的體例也該做一分辨。

　　書中主要包含兩大主體：一是張潮所寫的內文，一是各家論評；此外前有序後有跋及題辭。其多樣面貌究竟是屬於何種體例？有無承上啓下或是創格？均值得探討。

　　茲就以下幾個方向加以分析：

第一節　「世說體」的擴充

　　關於《幽夢影》的體例，在眾說紛紜中提出《幽夢影》屬於「世說體」體例的，當屬官廷森最爲具體：

> 　　《幽夢影》之形式，相當獨特，是屬於評語參錯之體例。這些評
> 語，亦多爲格言短語句式，形式更爲自由。而其中養分一部分來
> 自「世說體」……初無此一體例，《幽夢影》是依此「世說體」
> 演進並加以創格而來[2]。

---

[1]　徐師曾：《文體明辨序》（台北：長安出版社，1978 年），頁 77。
[2]　官廷森：《晚明世說體著作研究》（台北：國立政治大學中文系碩士論文，1999年）。綜合第 1 章至第 3 章而得。

但何謂「世說體」,「世說體」又流行於什麼時候?其實簡而言之,「世說體」就是經由《世說新語》所衍生而得的一種體例;而有關《世說》風潮曾在明末清初造成一股旋風,[3] 締造其空前盛況,深受當時士子的重視與喜愛。因此官廷森認為晚明之所以興起「世說體」,其原因有:

一、魏晉風流之企羨

魏晉與晚明之時代背景類似,因此文學方面,內涵偏向情感抒發,形式簡練;還有魏晉名士之風流韻度,深受晚明士子所企羨。試看屠隆、袁宏道之輩的言談舉止與竹林七賢之風流豈不相似。

二、短文小說之好尚

晚明文人對於魏晉文風的探索,常常是經由《世說新語》得到,而不是出自正史。

三、知名人士的推動

此一時期的《世說新語》風潮,王世貞、李贄等人之提倡功不可沒。

四、「以述為作」的心態勃發,雖是新瓶裝舊酒,但見解卻是新

---

[3] 「《世說新語》一書在明末清初階段造成空前盛況,受到士人極大的重視與喜愛,以目前之統計資料而言,單是《世說新語》原作刻本,就有十八種之多;而《世說新語》之續作、仿作更是高達三十餘部之數;其中《世說新語補》又有九種以上版本。此外曾對《世說新語》原作、續作、仿作加以注釋、評點等,也有十三家左右;而為其作序、跋之文人,更是不勝枚舉。」以上注文依王能憲:《世說新語研究》(江蘇:江蘇古籍出版社,1991 年),頁 71-77;蔡麗玲:《從晚明世說體的流行論張岱的快園道古》(新竹:國立清華大學中文研究所碩士論文,1993 年),第 2 章,頁 26-41;戴嘉琪:《何氏語林研究》(台北:私立中國文化大學中文研究所碩士論文,1977 年),第 1 章,頁 22-43 等人所彙整而來。其他對於數量之異議者,不在其列。

穎的；甚至摘集他人文句冠以自己的姓名，而不標注出處，也時有所見[4]。

這樣的風潮，直至清初仍未停歇。至於「世說體」的體例，官廷森認為晚明文人視其具有史學價值，於是在體制方面也多所突破：

一、不受限於原有《世說新語》三十六門類，而另立新目。

二、仿摹之作如《女世說》、《兒世說》等作品。

三、出現小序、注文、評語等體例。因為既視《世說》為史書，加入自己對人物之見解，有何不可。既視《世說》是史書，則不必注明資料出處、不必加「注」；或是表示負責，標明條文來源，也時有所見[5]。

這不僅是書的獨特風格，更展現個人不凡的見解。

而今人林琇寬則認為：

《左傳》、《史記》、《莊子》、《列子》等書對《世說》有啟下之功；在文體淵源上對其影響很大[6]。

由上述的體例對照，《幽夢影》涵蓋條文、評語、注文、序、跋等，又不受三十六門類限制，顯見是依此「世說體」演進並加以創格而來。

---

[4] 《晚明世說體著作研究》，此乃綜合第 1、2 章而得。
[5] 《晚明世說體著作研究》，本文乃綜合第 2 章而得。
[6] 林琇寬：《世說新語敘事結構之研究》（台中：國立中興大學中文系碩士論文，1999 年），頁 63-66。

第二節 「清言」的表現

近代主張《幽夢影》應屬於「清言」者不少，如學者曹淑娟就認為：

> 張潮《幽夢影》以清言形式寫作，遙承晚明《娑羅館清言》、《菜
> 根譚》、《醉古堂劍掃》等書的系統，此系作品頗盛行於晚明，原
> 無一定名稱[7]。

文中說明有關《幽夢影》這一些短章片語，往往透露出自由主體的追尋，而它屬於清言是確定的。另外莊樹淳則說道：

> 隨著小品文的出現，一種格言、語錄式的清言文字也漸漸發展開
> 來，並且盛行於明清之際。陸紹珩《醉古堂劍掃》、洪自誠《菜
> 根譚》、張潮《幽夢影》如今是最令人耳熟能詳的[8]。

在他認為的三本清言體代表作品中，《幽夢影》最能透顯個人的生活情調。

當然將《幽夢影》列為清言，並且對於「清言」作深入研究者就屬鄭幸雅。[9] 鄭氏將清言分為四期：孕育期、萌芽期、興盛期、衰退期，

---

[7] 曹淑娟：〈人夢照影、陶寫幽懷－論幽夢影的性質與地位〉（台北：《鵝湖月刊》，第 19 卷第 6 期，總號第 222 期，1993 年 12 月），頁 5。

[8] 莊樹淳：〈淺析幽夢影中的生命情調〉（台北：《中國文化月刊》，第 232 期，1999 年 7 月），頁 99。

[9] 鄭幸雅：《晚明清言研究》（嘉義：國立中正大學中文系博士論文，2000 年），本章有關清言重要說明，皆參酌此論文第 1 章至第 5 章而得，故不另加注。

而《檀几叢書》、《幽夢影》等則列為衰退期的產物。

　　清言也是流行於晚明以來的一種文體。而所謂的清言，乃指明末隆慶、萬曆以後，承襲語錄筆記之傳統，表現與記錄作者個人讀書、生活體驗；採取自我愉悅、重視主觀意識；使用清雋文字、呈現適情隨性；烘托空靈美感、流洩簡遠自然的一種文學作品。之所以會有如此主張性靈的展現，當然與其時代背景相關，除了政治、社會、經濟之外，最主要是其文學思潮（陽明心學為重心，個體心性受到重視）與文學背景的衝擊，依鄭氏指出當時風潮：

一、文藝潮流：率性重情為依歸。

二、性靈之聲：注重文學藝術的感染力與「韻」、「趣」的美學觀。

三、怡情自適：此時清言便成為最好的展示方式。

　　另外有關清言的體例特色，大抵如下：

一、體例承筆記遺風

陸紹珩《醉古堂劍掃》刊刻之後，其有組織的編撰形式，成為典範。依序有：（一）有類有引，有所分類。（二）類目之下，以條列式呈現。（三）加以評點，加以眉批，不一而足。（四）標示凡例、緣由、過程等。（五）將引用書目列舉，或於條文中標示出處。（六）列出參閱者之名，為書提高知名度。

二、多元的表現手法

（一）以複句句法居多。（二）句式可齊言、可雜言。（三）多以「清」、「閒」、「真」、「冷」等出現之機率非常多。

經由筆者比較，發現張潮《幽夢影》體例與之雖略有不同，但確信乃繼《醉古堂劍掃》後，重視評語且手法多元的清言表現。

第三節 「小品」的延續

除了世說體、清言之外，又有認為《幽夢影》屬於「小品」體例，其中從史論觀點做為立基的李愚一就認為：

> 由明末到清初，有一些才子文人繼承晚明浪漫思潮……特別是
> 《幽夢影》此書文意清新，乃小品文之瑰寶。其行文皆以散句，
> 有如秀草幽花，令人耳目一新。此種耐人尋味的格言式小品，很
> 明顯可看出是承繼中郎〈瓶史〉、〈觴政〉的筆法[10]。

他由文學史與作品特色的角度切入，主張《幽夢影》屬於怡情怡性的小品代表。而蔡君逸則以為：

> 《幽夢影》這本書之產生，和晚明小品之盛行脫不了關係，像徐
> 渭、湯顯祖、屠隆等人已有一些情文並茂的短章，如李流芳的題
> 畫小品，乃至公安、竟陵，文學發展的趨勢已由長篇大論的古文
> 走向玲瓏、講求韻致之小品[11]。

---

[10] 《袁中郎小品文研究》（高雄：國立高雄師範大學中文系碩士論文，1986年），頁 266-271。

[11] 蔡君逸：〈世路如今已慣，此心到處悠然－淺介張潮及其幽夢影〉（台北：《國文天地》，第 5 卷第 6 期，1989 年），頁 80。

蔡氏以時代作為判斷，也界定《幽夢影》是小品。

至於以「選文」的方式加以認定《幽夢影》屬於小品的，則有張敬校訂、李小萱選註之《小品文選》[12]，書中將小品文分為：

一、居家緣

二、男女緣

三、遊世緣

四、山水緣

五、讀書緣

其中《幽夢影》之選錄，分別於遊世緣中選用了兩則，讀書緣中選用了一篇（為第92、118、187等三則之合併）。

另外吳宏一校訂，邱琇環、陳幸蕙選註《明清小品》也是。[13] 書中則將目錄按作家分類，分別擇選了徐渭、陳繼儒、屠隆、袁宗道、袁宏道、袁中道、鍾惺、譚元春、張岱、木拂、佚名、金聖歎、李漁、林嗣環、張潮、鄭燮、袁枚、沈復、龔自珍等共計二十四人之作品。而針對《幽夢影》之選文倒是多所著墨，共計三十二則。

以小品做為晚明的代表文學，一般都無異議；至於何謂小品？在「詞意」上雖歷來爭議頗多，但肯定小品屬於晚明特定產物的觀點則是一致

---

[12] 張敬校訂、李小萱選註：《山水幽情－小品文選》（台北：時報文化出版，2000年），〈目次〉。

[13] 吳宏一校訂、邱琇環、陳幸蕙選註：《閒情逸趣－明清小品》（台北：時報文化出版，1999年）。

的。[14] 因此雖然在體例上並無明確定論，但在功用上肯定其為：「書寫己懷，或是生活小節，同時兼顧社會人生。」而其特色則是：「反傳統精神，追求情、趣、韻，重視作者個別精神面貌。」其風格則為：「多閑雅，幅短神遙，墨希旨永。」的確能取得共識。而《幽夢影》屬於小品之列，應也是時代之產物。

綜合以上之說，若就《幽夢影》的形式結構而言，有「世說體」的體例；而在駢偶句式新奇手法上，則屬於「清言」；至於其風格特色方面，則擷取「清言」與「小品」的審美傾向韻趣況味。

因此從廣義角度來論《幽夢影》的體例，它是融合諸家之長的明清或是晚明的「創新」文學體裁。

---

[14] 茲列舉以下三位加以說明：

1.陳少棠說道：「『小品』一詞原出自佛家，出現於六朝，本不是文學體裁；唐宋時也只以『小文』為稱，但已從簡短佛經進步為形式短小意味雋永之作；直至明中葉以後才日漸普遍，並以『小品』二字出現。就其廣義而言，包含甚廣，舉凡文章、字畫、金石皆可等同視之；若是以文學上所指，此時假借為某種風格、某種短小篇章，或是文集之專稱……但可確定的是，它已儼然是明末的新的文學名詞」。此由《晚明小品論析》（台北：源流出版社，1972年），頁1-7整理而來。

2.陳萬益談到：「小品在晚明而言主要以自得精神為主，不必和佛經之『小品』有所相干，以免滋生困擾。其次，民國以後，有『小品文』之稱，並且用來指稱晚明此類作品，實有所不妥。畢竟晚明人使用小品一詞時，未曾出現『小品文』之一類用詞；是以該將『小品』之詞還給晚明。」依其《晚明小品與明季文人生活》（台北：大安出版社，1997年），頁24-45彙整而論。

3.李濟雨認為：「晚明小品乃特定歷史背景下之產物，即便在晚明之前已存在類似的作品，則彼此之間在文學史上的意義，已大不相同。」此依其《晚明小品之文藝理論及其藝術表現》（台北：國立台灣大學中文系博士論文，1992年），頁132-135彙整。

第三章《幽夢影》的新、舊編本

　　從現存最早的清道光本到民國以後流通的編本，《幽夢影》幾經傳抄印刷，面貌已多所變化。

　　在《中國古籍版本學》中提到：「清代康熙、雍正、乾隆三朝經濟繁榮，國力強盛，爲刻書提供了雄厚的財力。」[1] 顯見從官方到民間，刻書風氣的確十分昌盛。

　　拜清代刻書潮流之賜，《幽夢影》不同的刻本，逐紛紛出籠；其內容也隨著時間的挪移，而有了不同的呈現。但孰是孰非？錯誤又是因何而起？各本的特色又是如何？真正的則數到底有多少？以及現今閱讀的最佳編本又是何者？均是本章所要介紹的重點。

　　是以本章將區分新與舊兩大章節，至於新舊的界定，有幾項依據：其一，以裝訂形式；其二，以出版時間；其三，以成書卷數；其四，以字體差異等四項，逐一介紹。

第一節　舊　編　本

　　有關《幽夢影》舊編本的介紹重點，首先是各編本特色敘述，按年代前後排列，共計七本（排列時每頁「上爲書影，下爲特色」，以資對照）；其次是各本比較，經此比較後，異同與闕漏便可浮現。

---

[1] 曹之：《中國古籍版本學》（台北：洪葉文化事業有限公司，1994 年），頁 349（此書原由武漢大學出版）。

一、各編本特色

（一）清道光二十九年（西元 1849 年），一卷版，如書影6。

昭代叢書　別集　幽夢影　四　世楷堂藏版

幽夢影□□□□□□□□□□□□□□　歙縣張□潮山來著

讀經宜冬，其神專也；讀史宜春夏，其時久也；讀諸子宜秋，其致別也；讀諸集宜春，其機暢也。

曹秋岳曰：可想見其南面百城時。
嵇叔夜曰：讀幽夢影，則春夏秋冬，無時不宜。

經傳宜獨坐讀，史鑑宜與友共讀。

孫愷似曰：深得此中真趣。吾友張竹坡曰：吾幾欲哭。王景州曰：如無好友，即紅友亦可。介于曰：我邀亦不可不慍。

無善無惡是聖人……善多惡少是賢者……善少惡多是庸人，有惡無善是小人，有善無惡是仙佛。儒者之所謂善，亦非吾所喜，善惡之類。喜少惡多是庸人，有惡無善是小人，其偶有善亦類焉。

江含微曰：先恕後善，何況當有無多少中，更進一層。

黃九烟曰：今人一介不與者甚多，昔天上皆牛。

股曰：戒且戰而……

天下有一人知己，可以不恨。不獨人也，物亦有之：如菊以淵明為知己，梅以和靖為知己，竹以子猷為知己，蓮以濂溪為知己，桃以避秦人為知己，杏以董奉……

（書影-6：清‧張潮輯、楊復吉、沈楙悳續輯：吳江世楷堂刊本，列於《昭代叢書、別集》，第一六五冊，本冊共五十八頁，高二十四公分。現為中華民國中央研究院傅斯年圖書館典藏線裝書，為現存最早編本。）

1. 象鼻：屬「花口」，故白口處刻有「昭代叢書」四字。版心：中有「別集《幽夢影》」，卷次：「二十九」，頁碼，以及書口下方寫著「世楷堂藏版」等，但未列刻工姓名。裝訂屬線裝，有齊欄、摺頁等，前後配上書衣打四孔。屬大字本，每行二十字。

2. 內容：附有〈余懷序〉、〈孫致彌序〉、〈石龐序〉三篇，與〈張南村跋〉、〈江之蘭跋〉二跋，以及後來乾隆年間楊復吉又添加的〈幽夢影跋〉。但無目次。

（二）清光緒五年（西元 1879 年），二卷版，如書影 7。

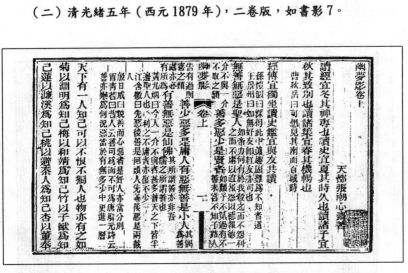

（書影-7：清光緒五年，仁和葛氏刊本，列於《嘯園叢書》中第十六冊，獨立成書。高十七‧五公分，現為中華民國中央研究院傅斯年圖書館典藏線裝書。）

1. 在卷上與卷下之承接處以及終了，有「嘯園藏板」四字，用以辨識之用。裝訂屬齊欄，摺頁，線裝，書之前後均有書衣。由於版框縮小（高只有十七‧五公分），故字反而略呈「圓體」形貌。

2. 內容：序的部分，只附有〈石龐序〉、〈孫致彌序〉二序；跋則只有〈江之蘭跋〉，另增添的是〈葛元煦跋〉。內文：「卷上」自「讀經宜多」起，止於「皆所謂密友也」；「卷下」起於「風流自賞」，迄於「詩必窮而後工」一則，共二百一十九則。此外多了袁翔甫之「補評」；光緒七年重刊《幽夢影》時，並附上朱錫綬著《幽夢續影》之作品，互有相得益彰之意。屬叢書類。

（三）清光緒十年（西元 1884 年），二卷本，見書影 8。

（書影-8：清光緒中羊城馮氏刊本，列入《翠琅玕館叢書》中第一集第九冊，高二十公分，中華民國中央研究院傅斯年圖書館典藏線裝書。）

1.版心：（上）有象鼻，有粗線的大黑口；（中）書名「幽夢影」、卷次「上」或「下」，以及頁碼，（下）右有「翠琅玕館叢書」字樣。裝訂採摺頁、線裝，打四孔。字型較光緒五年者寬圓，每半頁有九行，每行有二十字，但是此版本之原文與評語字之大小一樣，不易分辨。

2.內容：列於叢書類，序跋數與光緒五年本相同，但並無《幽夢續影》附於其後。至於則數與補評同光緒七年本。

（四）清光緒三十四年至宣統三年（西元1908-1911年），一卷本，
見書影9。

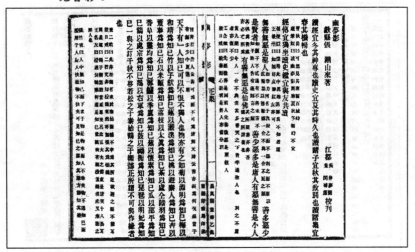

（書影-9：清國學萃編社排印本，列入《晨風閣叢書、甲集》三
十五至四十二冊中，高二十五‧五公分。但事實上，在甲集與乙集中
均有編列，可謂錯雜編列，現爲中華民國中央研究院傅斯年圖書館典
藏線裝書。）

1. 大致前半部爲「甲集」，而後半部則爲「乙集」，至於印刷公司則
   是分給兩家包辦。頁面沒有象鼻，書根有「晨風閣叢書」字樣與
   冊數名。屬鉛印本，字體較其他本狹長。

2. 內容：缺〈序〉，而〈張惣跋〉、〈江之蘭跋〉，與〈楊復吉跋〉等
   跋則放於第四十二冊正集三十三頁。首見《幽夢影》之目錄，[2] 另
   外乙集中也編有《幽夢影續集》，全書納入叢書類。

---

[2] 現中研院典藏者，只有自「讀經宜多」起，至「值太平世」，共五十九則，餘
之目錄已亡佚。目錄的編次，並無頁碼；只是將每則的前一句或是前幾個字
列爲「題目」，照順序逐一排列，而且此一目錄表是以「經摺裝」形式呈現。

（五）清宣統三年（西元 1911 年），二卷本，見書影 10。

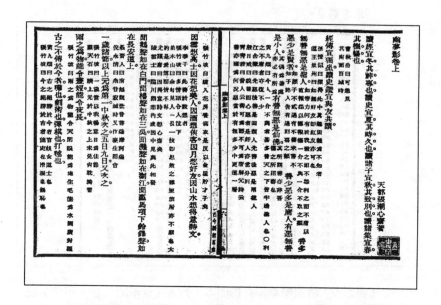

（書影-10：清宣統三年，上海國學扶輪社編選為《古今說部叢書六集》中，列於第三十四冊，高二十公分，現為中華民國中央研究院傅斯年圖書館典藏線裝書。）

1.版心：（上）屬白口，無字；（中）有「幽夢影」、卷上或卷下、頁碼，（下）左有「古今說部叢書」、右有「六集」字樣。沒有魚尾，而象鼻是細線小黑口。書根有「古今說部叢書」字樣；裝訂以線裝，打四孔；末有「嘯園藏板」字樣，屬「排印本」；已有句讀，協助閱讀。

2.內容：有〈石序〉、〈孫序〉二序與〈江之蘭跋〉、〈葛元煦跋〉二跋。內文以光緒五年本為依據，納入叢書類。

（六）民國五年（西元1916年）二卷本，見書影11。

耳
江含徵曰當人憐其慳且俗耳非嫌其珠玉文繡也
張竹坡曰不文雖窮可鄙能支雖富可敬
陸雲士曰竹坡之言是真公道論話
李若金曰富人之可鄙者在乎或不好蓄史或畏交
遊或趨炎熱而輕忽寒士若非然者則富翁大有稗
益人處何可少之
能閒世人之所忙者方能忙世人之所閒
袁翔甫補評曰閒裏着忙是臊憧讓忙裏偷閒出短

幽夢影卷下

遇翠琅玕館叢書芷

命桐
先讀經後讀史則論事不謬於聖賢既讀史復讀經則
觀書不徒為章句
黃交三曰宋儒註錄中不可多得之句
陸雲士曰先儒著讀書注疏牘連章不若心齋數言
道盡
居城市中當以畫幅當山水以盆景當苑囿以書籍當
友朋
周星遠曰究是心齋偏重獨樂樂

（書影-11：民國五年保粹堂重刊本，列入《藝術叢書雜品》，第三
十一冊，高二十一公分，中華民國中央研究院傅斯年圖書館典藏線裝
書。）

1.版心：（上）有象鼻，（中）有「幽夢影」、卷上或卷下、頁碼，（下）
　有「翠琅玕館叢書」字樣。其他：無魚尾，無書耳。有象鼻，乃
　粗線大黑口。書根有「藝術叢書雜品」字樣；裝訂用線裝，有四
　孔；每行多於二十字，故屬「小字本」。

2.內容：有〈石序〉、〈孫序〉二序，〈江之蘭跋〉、〈葛元煦跋〉二
　跋。而內文與補評語以光緒五年本為主。納入叢書類，沒有《幽
　夢續影》。

（七）民國二十四年（西元 1935 年），二卷本，見書影 12。

耳

江含徵曰賓人嫌其慳且俗耳非嫌其珠玉文繡也

張竹坡曰不文雖窮可鄙能文雖窮當可敬

陸雲士曰竹坡之言是眞公道說話

李若金曰賓人之可鄙者在者或不好讀書或畏交

遊或處炎熱而輕忽寒士者非然者則富翁大有稗

益人處何可少之

能閒世人之所忙者方能世人之所閒

袁翔甫補評曰閒裏着忙是臊憤廣忙裏偷閒出短

幽夢影卷下

園

命相

先讀經後讀史則論事不謬於聖賢既讀史復讀經則

觀書不徒為章句

黃交三曰宋儒語錄中不可多得之句

陸雲士曰先儒著讀書法煩瑣連章不若心齋數言

道盡

居城市中當以畫幅當山水以盆景當苑囿以書籍當

友朋

周星遠曰究是心齋偏重獨樂樂

（書影-12：民國二十四年，南海黃氏彙印本，單一成冊，編入《芋園叢書子部》，第一七九冊，高廣二十公分，中華民國中央研究院傅斯年圖書館典藏線裝書。）

1.原有「翠琅玕館叢書」字樣則被除去；書根有「芋園叢書」字樣。
無魚尾，無書耳；但上下有象鼻，乃粗線大黑口。

2.內容：前序：有〈石序〉、〈孫序〉二序；後跋：有〈江之蘭跋〉
（但未署名）、〈葛元煦跋〉二文。內文與補評語和光緒十年編本
同，未將《幽夢續影》編入。納入叢書類。

二、各版本比較

《幽夢影》七個「舊編本」其間差異叢生，茲逐一分析如下：

（一）卷數

道光二十九年（世楷堂刊本）與光緒三十四年（國學萃編社排印本）爲一卷本外，其餘均是二卷本。這當中又以道光版最爲方便並具有連貫性。

（二）前序

1.序的數目

在道光二十九年（世楷堂刊本）中〈余序〉、〈孫序〉、〈石序〉三篇均在；但自光緒五年（嘯園叢書葛氏刊本）起，其他諸本之序就只剩下〈孫序〉、〈石序〉二篇，〈余序〉則未被選錄。

2.內容差異

就道光版與光緒五年版所列之序之內容加以比較：

(1)在〈孫序〉中，有幾處不同：

甲、道光版之第二行「是編『是』其一臠片羽」，而光緒版則是「是編『特』其一臠片羽」。

乙、光版之第六行「廋辭『讔』語」，至光緒版則是「廋辭『隱』語」。

(2)在〈石序〉中，亦有幾處不同：

甲、道光版第五行「花『間』選句」，在光緒版則是「花『閒』選句」，義同字不同。

乙、道光版第七行「而已哉」，光緒版則爲「已哉」，可見已有疏漏。

丙、道光版第十一行「不能已『于』」，在光緒版是「不能已『於』」，又是義同字不同。

丁、道光版第十四行「不遺『元』想」，而在光緒版則爲「不遺『玄』想」。

戊、道光版第十六行「『宏』開」，光緒版變成「『弘』開」，又有可

通之處。

己、道光版第十八行「這『個』」，光緒版乃爲「這『箇』」。

庚、道光版第十九行之署名「石龐序」，光緒版卻是「石龐天外氏
偶書」，雖是同一人，但是竟是不同之簽署。

（三）後跋

1.跋的數目

道光版有原跋〈張惣跋〉、〈江之蘭跋〉，以及後來乾隆乙未年楊復吉
增添的〈幽夢影跋〉三篇。而光緒五年版則只有留〈江之蘭跋〉與光緒
五年加入的〈葛元煦跋〉二篇。

2.內容差異

既然只有〈江之蘭跋〉爲共通者，故僅以此做比較：

⑴道光版第五行「影者『惟』何」，而光緒五年版及其後之內容均
是「影者『維』何」。

⑵道光版第七行「具須彌」，而光緒五年版及其後者則是「具須彌
『而』」，多出「而」字。

⑶道光版第七行「心齋則『于倏』忽」，而光緒版則是「心齋則『於
倏』忽」，有兩字是不同的。

⑷道光版第九行「心齋豈長于勘夢」，至於光緒版及其後則爲「心
齋『蓋』長『於』勘夢」，也是有所區別的。

⑸道光版最後有署名「寓東淘江之蘭跋」，但是光緒版及其後則缺
此署名！

（四）原文

針對內容之差異，主要的轉捩點出在「光緒五年版」，是以重心放
在「道光版」與「光緒五年版」之比較。而其差異之詳細內容列於附錄
三（見本著頁 269）。

（五）評語

1.順序變動

此處主要是「光緒五年版」（嘯園藏板）之諸多評語位置順序與原道光版不同，故加以比對臚列（詳見本著附錄四，頁 272）。

2.人數增減

主要以道光二十九年版《昭代叢書、別集》與光緒五年版（嘯園藏版）做一對照，將其增減之評語數加以羅列（見本著附錄四，頁 273。其中只列出評語者姓名以及則數，不列其內容。至於增減之光緒版詳細內容可查閱本著附錄一，評語代號「※1」）。

3.文詞差異

各本之間的文詞多所不同，完整列於本著附錄四（頁 275）。從中可以發現《幽夢影》在不同編本間，出現「不同義不同字」、「同義不同字」、「訛誤或漏失」等問題產生。

4.補評說明

有關評語增補，起因於再版（光緒五年本）時，所依據的來源並未做好間隔，致使「則」與「則」之間有合流混淆情形；或是重新做出區隔與詮釋，於是針對「原本沒有評語的」與「後來分割出的」文義補增評語，導致所謂的「補評」（詳細內容見本著附錄一，評語代號「□2」）產生。

藉由文獻的還原與校對（見本著附錄四，書影 13，頁 278），印證了《幽夢影》應為二百一十九則，是正確無誤的！

第二節　新　編　本

長江後浪推前浪，在簡明、清晰的引領下，使得《幽夢影》的新編本樣貌已大異其趣於「舊編本」。本節有關新編本將區分兩大類，配合書影進行介紹，除了有各本特色之外，並就其差異與缺失，以及現今最完備之編本，做一說明。

一、未有任何分類者

（一）忠於原文，未有今人注釋、導讀、賞析者，如書影 14。

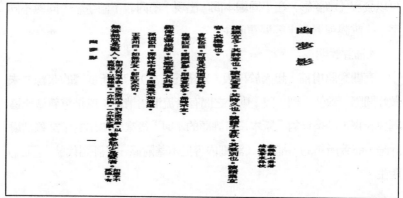

（書影-14：《幽夢影》，台北：德華出版社，1976 年）

1.其他如漢京、弘道、大夏、武陵等多家出版社，所出版《幽夢影》與此大同小異，編列的方式保留原貌，未做任何分類、注解或說明。

2.但也因為未做深入比對，「錯植」或「闕漏」是其一大缺失。

（二）保留原文，刪去前人評點，更無今人之注解，採用前後二書
　　對照方式者，如書影 15。

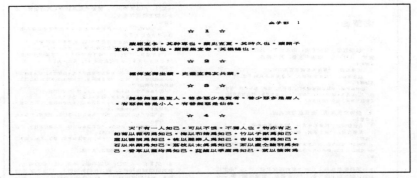

（書影-15：洪自誠編：《菜根譚與幽夢影》，台中：王仁出版社，
　1992 年）

透過前後兩本書提列，使讀者多了洞徹人事百態後的依據。

（三）有原文、評點，無今人注解，但多了「導讀」者，如書影
　　16。

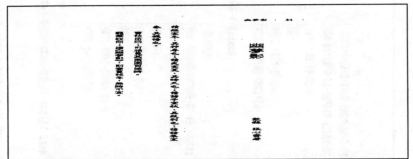

（書影-16：周慶華導讀：《幽夢影》，台北：金楓出版社，1986 年）

　經由導讀，肯定大塊假我以文章，處處皆是好材料，讚譽《幽夢影》
對於意境況味的掌握。但是誤謬甚多，不甚精準。

（四）有原文、評點，但多了「注釋」者，如書影 17-21。

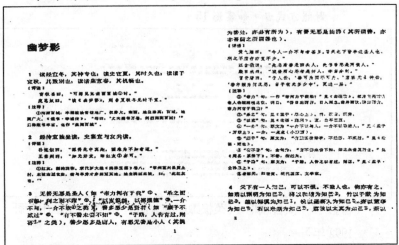

1.（書影-17：許福明校注：《幽夢影、附續幽夢影》，合肥：黃山書社，1991 年）

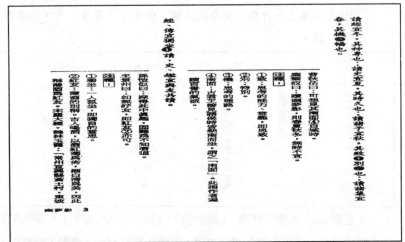

2.（書影-18：方雪蓮注釋：《幽夢影、附幽夢續影》，台南：漢風出版社，1992 年）

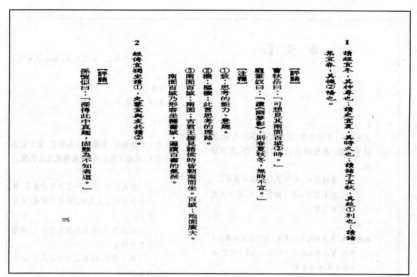

3.（書影-19：謝芷媗注釋：《幽夢影、附續幽夢影》，台南：文國書局，1995 年）

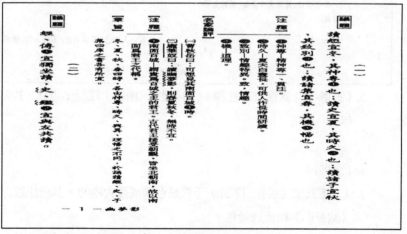

4.（書影-20：吳紹志編：《幽夢影、附續幽夢影》，台南：祥一出版社，1997 年）

幽　梦　影

1
读经宜冬,其神专也;读史宜夏,其时久也;读诸子宜秋,其致别也;读诸集宜春,其机畅也。

　　曹秋岳曰:可想见其南面百城时。

　　庞笔奴曰:读《幽梦影》,则春夏秋冬无时不宜。

[注释]
南面百城:南面指地位的崇高,古代以坐北朝南为尊位;百城指土地的广大。此处指藏书极富,如南面百城,尊荣富有。

2
经传宜独坐读,史鉴宜与友共读。

　　孙恺似曰:深得此中真趣,固难为不知者道。

5

王景州曰:如无好友,即红友亦可。

[注释]
红友:酒的别名。

3
无善无恶是圣人,善多恶少是贤者,善少恶多是庸人,有恶无善是小人,有善无恶是仙佛。

　　黄九烟曰:今人一介不与者甚多,普天之下皆半边圣人也。利之不庸者,亦复不少。

　　江含徵曰:先恶后善是回头人,先善后恶是两截人。

　　殷曰戒曰:统善面心恶者是奸人,亦当分别。

　　冒青若曰:昔人云,"善可为而不可为。"唐解元诗云,"善亦懒为何况恶?"当于有无多少中更进一层。

4
天下有一人知己,可以不恨。不独人也,物亦

6

5.（書影-21：黃慶來等注釋：《幽夢影》,南昌：江西出版社,1993年）

綜合說明：

1.以上這五家（書影 17-21）不管是台灣或是大陸的,其所出版之《幽夢影》尙流通於世。

2.由於各本的編輯均有其共同的諸多特色與缺失,也有別的差異在,是!以特加以一一臚列（詳見本著附錄五,頁 281）,以供參酌。

（五）保留原文、無原評語，另有今人之「簡易注釋」及「原文翻
　　譯」者，如書影 22。

（書影-22：合山究譯註：《幽夢影》，東京：明德出版社，1986 年）

1. 此編本以日文呈現，對於嚮往中國文化的外籍人士，有諸多幫
　 助；且合山究對於小品、清言等頗多涉獵，因此特別針對小品文
　 學與張潮做非常詳盡之探討。由於此書在 1977 年初版，1986 年
　 再版，因此文中所提及之〈題辭〉，是早於大陸黃山書社出版的。
2. 此編本卻只選錄二百一十七則，仍屬錯誤。

（六）原文保留，原評語只取部分，添加「今人」評語者，如書影23。

新式標點

幽夢影 約評詳註

清・張潮原著

林政華評註

1. 朝經宜冬，其神專（淨聚所以斂神）也。獨史宜夏，其時久也。讀諸子宜秋，其致（思致）別也。讀諸集宜春，其機（機暢）暢也。

約評：龐筆奴說：「讀幽夢影，則春、夏、秋、冬，無時不宜。」政華按：

讀者且看下去，便知龐氏的話不假。

今人呂自揚說：「春夜宜讀詩，夏夜宜讀筆記，秋夜宜讀散文，冬夜宜讀小說。」（引自揚批新編《幽夢影》，下同）

2. 經、佛宜獨坐讀，史、鑑（通鑑）宜與友共讀。

詳註：讀經傳，精神須集中，所以宜獨坐讀；史書所載多半可以相互討論，因此宜與朋友共讀。

（書影-23：林政華評註：《幽夢影評註》，板橋：駱駝出版社，1997年）

1. 稱讚《幽夢影》是一本寓哲思於文藝，人人愛不釋手的好書，且介紹《幽夢影》是四季宜、逍遙宜、感悟宜等的奇書妙品。將全書各則加以編號，僅有選二百一十七則（屬錯誤則數）。

2. 書中「原評」採部分保留，夾雜今人可取之評；其中未列名氏者，是著者之見解，其他尚有「呂自揚說」（河洛出版社主編）等。此外附錄張廷榮讀後心得（頁 101-102）、《幽夢影》中的佛教思想（頁 105-113），雖不是巨帙，但已具尺幅千里之旨。

3. 其缺失甚多，諸如：則數混淆，內文訛誤，作家著述交代不清等。

（七）保留原文，捨棄原評，重在「語譯」，尤其以「賞析」為要者，如書影24。

析 譯 夢 幽

讀經❶宜冬，其神專也；讀史❷宜夏，其時久也；讀諸子❸宜秋，其致別也；讀諸集❹宜春，其機暢也。

【注】❶經：被奉為經典的著作，儒家《十三經》包括《易》、《書》、《詩》、《周禮》、《儀禮》、《禮記》、《左傳》、《公羊傳》、《穀梁傳》、《孝經》、《論語》、《爾雅》、《孟子》十三部著作。❷史：指記載歷朝史事的史部類書籍。❸諸子：原指先秦時期各家學派，《漢書·藝文志》列舉諸子十家，有儒、道、陰、陽、法、名、墨、縱橫、雜、農、小說諸家。這裡指國家經部以外的各家著述。❹集：指花圖書目錄分編的經、史、子、集四部中的集部類著作。

【語 譯】讀經書適宜在冬季，人的精神能夠專一集中，讀史書適宜在夏季，夏季日長，時間充裕；讀諸子適宜在秋天，秋高氣爽，人的思維顯得比較特殊。讀集部著作適宜在春天，春日生機盎然，欣欣向榮。

【賞 析】這則文字專談讀書。書有不同的內容，體例、筆法，如經書明義理，微言大義，欣賞；史書紀傳，或國別，或編年，或紀事本末，還有通史，斷代之分，卷帙既多，人事亦繁。讀起來要各適宜其時；諸子百家各逞己說，辯難議論，門派不同，思想互異，寫法上也各有特色；集部作品詩詞文賦的創作，抒情言志，各見襟懷性靈情致。

（書影-24：馮保善注譯、黃志民校閱：《新譯幽夢影》，台北：三民書局，2000 年）

1.以「兼取諸家，直注明解」為原則。

2.附加導讀（談及張潮與《幽夢影》、《幽夢影》的思想與內容、藝術特色等）與目錄，因此內容十分豐富。

3.每則重在「語譯」、「賞析」之撰述，經綸滿腹躍然可見。而其情調採寫實與浪漫兼併。

4.在新編本中，此本最是翔實贍富，也是最適宜做為研究參考者。

二、將原文依其文義分類者

（一）將部分內文區分六類，採中英文對照者，如書影 25。

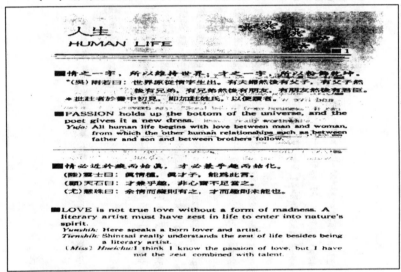

（書影-25：林語堂英譯、黎明編校：《中英對照幽夢影》，台北：
正中書局，1996 年）

1. 1937 年林語堂寫《生活的藝術》把《幽夢影》部分譯成英文，收
   入書裡。
2. 1960 年編譯《古文小品譯英》重譯此書，並將其中許多批注也一
   同翻譯。此外他自己也偶加批注，特別是根據原文性質分為六
   類。這六類分別是：「人生」、「品格」、「婦女與朋友」、「宇宙萬
   物」、「房屋與家庭」、「讀書與文學」。
3. 1978 年台灣開明書店依林語堂先生之遺志，編校《幽夢影》漢英
   對照本，以供青年學子自修之用。

（二）全文選錄，區分為九類者，舉例如書影 26。

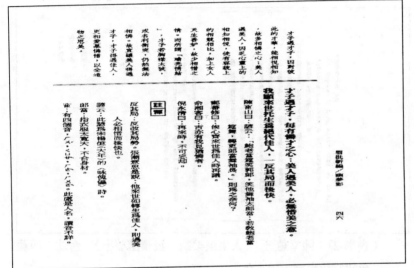

（書影-26：呂自揚主編：《眉批新編／幽夢影》，高雄：河畔出版社，1993 年）

特色：

1.河畔出版社歷年出版不同設計模式之《幽夢影》，其中以 1993 年版最為詳贍。原文分為九類，每一卷均有類別題目；另外附有呂自揚之眉批，稱得上是一大創舉。

2.前言以〈幽人之夢境，才子之心影〉為題，嘗試對張潮及其《幽夢影》做一概述。

缺失：

1.注釋常有錯誤，如：出現「合德者，乃乾隆時之香妃」之訛誤（見第一卷，頁 56），後雖以筆刪除，但仍是美中不足也。

2.因依據楊復吉的《幽夢影·跋》寫於 1715 年，而誤以為張潮尚存於世，可謂「差之毫釐，失之千里」也。

（三）區分九類，引用部分原文加以創作者，如書影 27。

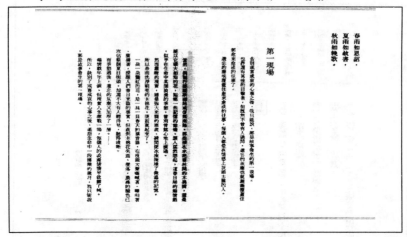

（書影-27：陳幸蕙著：《人生溫柔論－我讀幽夢影》，台北：漢藝
　色研文化事業，1998 年）

特色：原文中選錄八十則，並將其分為「四季清歡」、「美學遊戲」
　　　等九大單元。全書十足成了陳女士個人創作！她豐富了《幽
　　　夢影》之生命；而《幽夢影》的綠葉陪襯效果，也牽動了她
　　　溫婉善感的心。

缺失：書中竟出現朱錫綬《幽夢續影》之內文（此版頁 86），究竟
　　　是故意捨《幽夢影》之內文，或是選文有誤，未做釐清。況
　　　且每回引文未注明則數出處，若有對照時，實屬不便。

　　文學是遞嬗的，《幽夢影》有了「舊編本」的根基，促使「新編本」
得以枝葉繁茂；然新編本除了三民書局所出版的（馮保善注譯本）最為
完善外，其餘皆存留諸多錯誤，讀者在購買與閱讀時是不可忽視的。

第四章《幽夢影》豐富多姿的題材內容

　　探討《幽夢影》文學藝術之美，首在探討其迷人且豐富多樣的題材內容。

　　談到創作時的情感傳達，本於心靈；心靈之重要，誠如黑格爾所言：

> 個別的有生命的自然事物總不免轉變消逝，在外形方面顯得不穩
> 定，而藝術作品卻是經久的——儘管藝術作品所以真正優於自然
> 界事物的並不單靠他的永久性，而是還要靠心靈所灌注給他的生
> 氣[1]。

　　有了純真的心靈，其情感的喜怒哀樂宣洩，遂使作品更有魅力，產生極大的共鳴，自也能使其題材多樣且豐富。

　　從本章起，對於《幽夢影》的探討分為三大單元，其一：豐富多姿的題材內容，其二：雋永奇妙的修辭技巧，其三：靈動活潑的藝術特色，分別於第四、五、六等三章詳細介紹，細細咀嚼。

　　而《幽夢影》中的二百一十九則內文，原本並無分部也無分類，更無則數之標示，是以或有同一題材，重複出現，而其時間空間也未必一致之例。邇來曾將《幽夢影》做過分類者大抵有以下諸位，茲列舉如後：

一、林語堂：《生活的藝術》

---

[1] 黑格爾：《美學》（台北：里仁書局，1983 年），頁 39。

書中第十章第七節〈張潮的警句〉[2]，曾將《幽夢影》分為十類：一為「論何者為宜」，二為「論花與美人」，三為「論山水」，四是「論春秋」，五是「論聲」，六是「論雨」，七曰「論風月」，八曰「論閒與友」，九曰「論書與讀書」，十則是「論一般生活」。共選錄九十四則用以歸類。

二、林語堂英譯、黎明編校：《幽夢影》

這和前者《生活的藝術》其實有相互承襲關係，此書共分為：一是「人生」，二是「品格」，三為「婦女與朋友」，四為「宇宙萬物」，五曰「房屋與家庭」，六曰「讀書與文學」。採中英對照，選錄則數不多[3]。

三、呂自揚編註：《眉批新編幽夢影》

書中共分為九卷，卷一「論才子佳人」二十六則，卷二「論人與人生」二十則，卷三「論朋友知己」九則，卷四「論書與讀書」二十七則，卷五「論閒情逸趣」四十七則，卷六「論立身處世」二十八則，卷七「論文兼論藝」二十六則，卷八「論四時佳景」七則，卷九「論花鳥蟲魚萬物」二十八則，共計二百一十八則。[4] 是第一本將全文納入分類的書。

四、周慶華導讀：《幽夢影》

書中的〈導讀〉約略將其分為：一是「論讀書」，二是「論善惡」，三為「論友道」，四為「論修養」，五曰「論處世」，六曰「論美醜」，七謂「論閑趣」，八謂「論詩文」，九則是「論儒釋道」，計有九種[5]。

五、陳幸蕙：《人生溫柔論—我讀幽夢影》

本書〈序〉[6]中有言：「就其內在質性與主題粗分為：卷一『四季清

---

[2] （台南：德華出版社，1980年），頁309-318。
[3] （台北：正中書局，1996年）。
[4] （高雄：河畔出版社，1993年）。這九類安排方式，在1989年本已做過，此版只是稍做修訂。
[5] （台北：金楓出版社，1986年），頁10-14。
[6] 《人生溫柔論—我讀幽夢影》（台北：漢藝色研文化事業，1998年），頁14-15。

歡』，卷二『美學遊戲』，卷三『溫柔論』，卷四『浮世繪』，卷五『菩提果』，卷六『友誼樹』，卷七『讀書樂』，卷八『創作坊』，卷九『第二性』。」共選錄八十則雋語，分為九類。

六、蔡君逸：〈世路如今已慣，此心到處悠然〉

文中將《幽夢影》的內容分為三個部分：一是讀書雜感；二是人生經驗；三是生活情趣。[7] 此乃以簡單明確方式，用以探究。

七、沈謙：〈從《幽夢影》談文人的生活情趣〉

沈氏擷取片段，將其歸納為三點：一論書與讀書，二論才子佳人，三論閒情逸趣[8]。

八、莊樹淳：〈淺析《幽夢影》中的生命情調〉

文中並沒有特別明顯細分，但卻藉由書中所呈現的「生活態度」、「處世態度」、「對時空限制的思索」等三項，[9] 進而窺探張潮如何優游於繁雜的人世。

九、曹淑娟：〈入夢照影、陶寫幽懷—論《幽夢影》的性質與地位〉

曹氏將其關懷主題分為三端：一為人情世態的體認，二是天地萬物的觀察，三屬於天時物色與人事活動的配合[10]。

以上各家均對於《幽夢影》內容之多樣性，做了不同的歸類。筆者也站在「宜加以分類」的認同點出發，另起情思，重新編整為四類，稱之「人生物語」。第一節為「人」，第二節為「生」，第三節是「物」，第四節是「語」，將其分門別類再做觀照體悟。

---

[7]《國文天地》（台北：國文天地出版社，1989年11月），第5卷第6期。

[8]《明道文藝》（台中：明道文藝社，1998年4月），第265卷，頁34-50。

[9]《中國文化月刊》（台北：中國文化月刊，1999年7月），第232期，頁100-107。

[10]《鵝湖月刊》（台北：鵝湖月刊，1993年12月），第19卷第6期，頁7-10。

第一節　「人」之情——人性真諦的體悟

張潮對於「人」一字有諸多感發，舉凡人性善惡、處世經驗、才子佳人、知己好友等，均饒具信念。以下將逐一說明，並配合原文加以印證（若未列出原文者，將標示則數，以利對照本著附錄一）。

一、辨析人性善惡

有關人之善惡，張潮有諸多見解。孟子曾言：「存乎人者，莫良於眸子。眸子不能掩其惡；胸中正，則眸子瞭焉；胸中不正，則眸子眊焉。聽其言也，觀其眸子，人焉廋哉？」[11] 藉由言行，特別是藉由「眸子」來判斷人之善惡，除了將人相學發揮得淋漓盡致，更有令人辨邪明惡的積極意義與態度。而張潮在這方面又是如何看待，如何辨識？文中說道：

> 何謂善人？無損於世者則謂之善人。何謂惡人？有害于世者則謂之惡人。（第94則）

如此二分法區分善惡的方式，以「有損」或「無損」作為判斷，的確是歸本於世俗人性，以外顯事功的角度作衡量。又言：

> 無善無惡是聖人（如帝力何有于我、殺之而不怨，利之而不庸、以直報怨，以德報德、一介不與，一介不取之類），善多惡少是

---

[11]《四書集注》甲種本（台北：世界書局，1989年），〈孟子‧離婁上〉，卷4，頁105。

> 賢者（如顏回不貳過，有不善未嘗不知、子路，人告有過則喜之
> 類），善少惡多是庸人，有惡無善是小人（其偶有為善處，亦必
> 有所為），有善無惡是仙佛（其所謂善……）。（節錄第 3 則）

這當中，張潮將人分為五等，意即：聖人、賢者、庸人、小人、仙佛；並藉由小字夾注，以儒家的精神來深入詮釋。這與前一則比較，又更為明確為現實社會提供參考借鏡。但究竟聖人是人一生追求的理想境界，還是成仙成佛為最終目標，「善惡」二字，又是一項考量了。至於：

> 不待教而為善為惡者，胎生也；必待教而後為善為惡者，卵生也；
> 偶因一事之感觸，而突然為善為惡者，濕生也（如周處戴淵之改
> 過，李懷光反叛之類）；前後判若兩截，究非一日之故者，化生
> 也（如唐元宗衛武公之類）。（第 194 則）

張潮是將佛教所謂有情世界出生的狀態，即是胎生、卵生、濕生、化生這四種形態，[12] 運用於此。乍見之下，或許突兀；而透過小字夾注的人物對照，不免也有另一種豁然之意。

但不管如何討論，善惡會在一念之間成形，或是到老才能蓋棺論定，永遠都沒有百分百的答案，但有一個最高準則，人人皆會認可的：

> 聖賢者，天地之替身。（第 198 則）

顯見張潮覺得善惡不是結果，聖賢才是最終目標。

---

[12] 《實用佛學辭典》（台北：佛教出版社，2001 年），頁 529，稱之四生。

二、分享處世經驗

　　張潮曾遭友人陷害而牽連入獄（見第一章），事後只能以「中山狼」之慨發抒心情，未敢有其他報復之舉。因此說到處世經驗，他的善念便也不自覺流露：

> 不得已而誶之者，寧以口，毋以筆。不可耐而罵之者，亦寧以口，毋以筆。（第 129 則）

　　乍看之下，實爲一種自我保護的方式；但一旦白紙黑字出現，就很難收回，屆時傷害產生，又何嘗不是如同己身遭遇之可悲乎，因此慎言慎行是他所重視的。而面對紛雜眾象，他的處世原則與看法常是一針見血的：

　　（一）安貧樂道

> 為濁富不若為清貧；以憂生不若以樂死。（第 37 則）

> 儉德可以當貨財。（節錄第 120 則）

　　倘若「富與貧」二者讓他選擇，他寧可選擇清貧，也不願被勞悴所困。而這也是張潮可愛又矛盾之處，可愛的是他是如此的安閒謙恭；矛盾的是，當他編《昭代叢書、丙集》時，差一點被拮据所害（見本著第一章），而不能完成時，或許錢是「雅源」，也是他所不能避免的。

　　而現實生活之現狀又是如何，他提及：

> 貧而無諂，富而無驕，古人之所賢也；貧而無驕，富而無諂，今

　　人之所少也。足以知世風之降矣。（第 178 則）

　　藉由《論語‧學而》：「子貢曰：『貧而無諂，富而無驕，何如？』
子曰：『可也，未若貧而樂，富而好禮者也。』」[13] 張潮不免感嘆，而有
世風日下之憾。也因爲感慨人心扭曲，不似古賢，所以他便呼籲：

　　傲骨不可無，傲心不可有；無傲骨則近於鄙夫，有傲心不得爲君
　　子。（第 181 則）

（二）定靜慮得

　　官運不亨通的張潮在面對「達則行儒家，窮則爲道家」一事上，也
有諸多見地：

　　入世須學東方曼倩，出世須學佛印了元。（第 10 則）

　　由戒得定，由定得慧，勉強漸近，自然鍊精化氣，鍊氣化神，清
　　虛有何渣滓？（第 74 則）

　　張潮將佛、道二者並列而論，不管是東方朔，或是佛印了元；不管
是恪守戒律，還是修鍊得道，皆說明了二者之途徑不同，但其影響人生
的結果可能大同小異。其又言：

　　躬耕吾所不能，學灌園而已矣。（節錄第 26 則）

---

[13]《四書集注》甲種本，上論，卷 1，〈學而第一〉，頁 5。

　　值太平世，生湖山郡，官長廉靜，家道優裕，娶婦賢淑，生子聰慧，人生如此，可云全福。（第 59 則）

　　詼諧也好，輕鬆也罷，體認自在、清虛悠哉之貌，與世推移是必要的。

（三）有為有守

有了安貧樂道，定靜慮得，張潮更覺得在德行上有所增進：

　　酒可好，不可罵座；色可好，不可傷生；財可好，不可昧心；氣可好，不可越理。（第 119 則）

　　酒色財氣，皆不宜貪；貪杯易傷身誤事，貪色易戀棧放浪，貪財易折損志氣，而氣一貪便越理蠻橫，可見張潮之用心良苦。又如：

　　清高固然可嘉，莫流於不識時務。（節錄第 134 則）

　　因為就一個人的情操而言，不同流合污，是值得嘉許的；但若是剛愎自用並非最佳良方。至於如何要求，他又建議：

　　律己宜帶秋氣，處世宜帶春氣。（第 80 則）

　　韓愈有言：「古之君子，其責己也重以周，其待人也輕以約。」[14] 可

---

[14]　唐‧韓愈撰、清‧馬其昶校注、民‧馬茂元編次：《韓昌黎文集校注》（台北：漢京文化事業公司，1983 年），第 1 卷，〈原毀〉，頁 13（原列為《四部刊要‧集部別集類》）。

見張潮在此不僅吸收前賢之養分，更關涉到群體結合、互助合作才是處世之道的良方。

三、談論交友之道

說到知己好友的定義，有時對於張潮是十分諷刺的。但文中他可是頭頭是道的娓娓詮釋：

> 天下有一人知己，可以不恨。不獨人也，物亦有之。如菊以淵明為知己，梅以和靖為知己。（節錄第4則）

> 一介之士，必有密友。（節錄第102則）

被損友所害的張潮，能有一個真正的知己，的確是十分重要的。而重然諾，守信用，是不可或缺的。除了重信講義，這兒他又提出了幾項要件：

> 有多聞、直、諒之友，謂之福。（節錄第95則）

顯見「孔子的益者三友」[15]，是他的選擇基準。至於不同的友人自有不同的相處或交往之道，甚至連地點時間都在醞釀陪襯之列：

> 上元須酌豪友，端午須酌麗友，七夕須酌韻友，中秋須酌淡友，

---

[15] 《四書集注》甲種本，下論，卷8，〈季氏第十六〉，頁115。原文為孔子曰：「益者三友，損者三友。友直友諒友多聞，益矣；友便辟友善柔友便佞，損矣。」

重九須酌逸友。（第8則）

不同的節日，給人的感受本就不同，而對不同的友人，給予不同的時空不同的情境，或許是有其必要的。只是，有時理想和現實總有一些落差：

> 眉公、伯虎、若士、赤水諸君，曾共我談笑幾回？茫茫宇宙，我今當向誰問之耶？（節錄第109則）

這是風流才子對知己好友的渴盼，也是人性本然不須包裝的告白！

四、關懷才子佳人

修身養性以達聖賢君子之列，是張潮處世之不二法門；而才高姿美成為人人讚譽的才子佳人，則又是其性靈寄寓之一項表徵。他說道：

> 為書憂蠹，為花憂風雨，為才子佳人憂命薄。（節錄第5則）

由於對才子佳人的仰慕，又因歷來才子佳人命運多舛，深情的張潮遂投注了無限的關心，所以他進一步說道：

> 予嘗欲建一無遮大會，一祭歷代才子，一祭歷代佳人，俟遇有真正高僧，即當為之。（第197則）

真可謂有了情，能真誠關懷趨善避惡；有了情，處世更為圓融；有了情，才子佳人方受憐惜；張潮之於人性之關懷，當本乎一個「情」字。

第二節 「生」之趣──生活況味的享受

明清文人講究生活的藝術，故多能以藝術的心懷，來充分的享受人生，盡情的玩賞人間一切美好的事物。而這也從《幽夢影》中，更清晰流洩出看人、看景、看萬物的獨具慧眼之情思。

而其實閒情逸趣之營造，向來是中國文人雅士的生活重心，從聖賢之爲尤見其源遠流長。孔子言：

> 子曰：「何傷乎？亦各言其志也。」曰：「莫春者，春服既成，冠者五六人，童子六七人，浴乎沂，風乎舞雩，詠而歸。」夫子喟然而嘆曰：「吾與點也」[16]。

於此可見儒者賢人在關心國家大事與道德教化之餘，對於生活情趣之重視，有跡可循。張潮本於此，是以對於生活的營造、活動的安排、鑑賞的培養等，是極爲豐饒的。以下茲就「聆賞景物之美」、「交融情景之意」做一探索。

一、聆賞景物之美

四時佳景，各有奇妙，此爲自然鬼斧神工；而栽花種樹、飼鳥養魚，則是人爲的怡情悅性，不管是天然或是人造，在《幽夢影》中俯拾皆是。先從「視覺美感」的角度來看：

---

[16]《四書集注》甲種本，下論，卷6，頁76。

> 雲之為物，或崔巍如山，或澂灎如水，或如人，或如獸，或如鳥
> 毳，或如魚鱗。（節錄第 58 則）

> 玩月之法，皎潔則宜仰觀，朦朧則宜俯視。（第 116 則）

抬頭仰視，張潮對於天然的視覺之美，雲月的妙意極盡單純享受之
刻畫。又喜於：

> 樓上看山，城頭看雪……另是一番情境。（節錄第 28 則）

青山綠水，風雪晚霞，在不同的位置不同的季節裡，透過視覺的攝
受當各有一番風味。當然將自然轉化於生活，張潮也是非常歡欣的：

> 有地上之山水，有畫上之山水，有夢中之山水，有胸中之山水。
> 地上者妙在邱壑深遠；畫上者妙在筆墨淋漓；夢中者妙在景象變
> 幻；胸中者妙在位置自如。（第 84 則）

> 居城市中，當以畫幅當山水，以盆景當苑囿。（節錄第 211 則）

以視覺作為媒介，經由心境的轉變，其藝術的呈現，眼睛的暢適，
可謂美不勝收。再如：

> 花與葉俱可觀者：秋海棠為最，荷次之，海棠、酴醾、虞美人、
> 水仙又次之。葉勝于花者，止雁來紅、美人蕉而已。（節錄第 56
> 則）

梅邊之石宜古，松下之石宜拙。（節錄第 79 則）

在人為安排之後，透過視覺的欣賞，主觀的意識媒介，屬於賞花之情與園林造景，皆有其巧妙的融合。

至於在「聽覺美感」方面，張潮以為：

春聽鳥聲，夏聽蟬聲，秋聽蟲聲，冬聽雪聲；白晝聽棋聲，月下聽簫聲，山中聽松聲，水際聽欸乃聲，方不虛生此耳。若惡少斥辱，悍妻詬誶，真不若耳聾也。（第 7 則）

聞鵝聲如在白門，聞櫓聲如在三吳，聞灘聲如在浙江，聞贏馬項下鈴鐸聲，如在長安道上。（第 41 則）

鳥聲之最佳者，畫眉第一，黃鸝、百舌次之。（節錄第 144 則）

隨著一年四季便可以有不同的選擇，隨著不同的地區便會有不一樣的機趣，但絕對不能被惱人的斥罵聲給破壞了。當然除了動物之外還應該有：

松下聽琴，月下聽簫，澗邊聽瀑布。（節錄第 82 則）

水之為聲有四：有瀑布聲，有流泉聲，有灘聲，有溝澮聲。風之為聲有三，有松濤聲，有秋葉聲，有波浪聲。（節錄第 207 則）

這樣用心聆聽，其音律之美，不僅撥動心弦，更具情趣別致。

二、交融情景之思

見景抒情，情之投入、景之鋪陳，領略聯想隨景流轉，充滿喜悅悠閒，在張潮筆下更見其興味：

> 梅令人高，蘭令人幽，菊令人野，蓮令人淡，春海棠令人豔，牡丹令人豪，蕉與竹令人韻，秋海棠令人媚，松令人逸，桐令人清，柳令人感。（第131則）

梅花高潔，蓮花清雅，松樹堅貞，柳樹柔媚，植物以其特質使人聯想，人們以情之意涵附以屬性，風情萬種，情境曼妙。其又提及：

> 賞花宜對佳人，醉月宜對韻人，映雪宜對高人。（第11則）

> 因雪想高士，因花想美人，因酒想俠客，因月想好友，因山水想得意詩文。（第40則）

醉月皎潔，繁花婀娜，高山流水，映雪清淨，如此詩情畫意的場景，怎不叫人顛倒情思，激起無限的心領神往，並聯想到人與物之關係是不可分割的。至於四季之異，尤見其激盪之思：

> 春者天之本懷，秋者天之別調。（第16則）

> 春雨如恩詔，夏雨如赦書，秋雨如輓歌。（第62則）

春風秋實，夏雨東陽，這些盎然的生機，皆是欣欣向榮的活力。

　　當然以張潮敏銳的心靈，更能從現實中體驗出抽象的美感，並轉化為一種嘆服：

　　　蝶為才子之化身，花乃美人之別號。（第 39 則）

　　　荔枝為果中尤物，蟹為水族中尤物。（節錄第 172 則）

　　如此一來，物我兩忘，既可以滿足口腹之欲，又可充實精神上的渴盼，兩相對照，閒情間倍感餘韻悠長。而當信手拈來時，亦可寄託有情者：

　　　山不可以無泉，石不可以無苔，水不可以無藻。（節錄第 6 則）

　　　花不可見其落，月不可見其沉，美人不可見其夭。（第 112 則）

　　美麗不容寂寞，也不許香銷玉殞，於上幾則自可獲得證明。所以心齋又言：

　　　月下論詩，風致益幽；月下對美人，情意益篤。（節錄第 83 則）

　　　鏡中之影，著色人物也；月下之影，寫意人物也。鏡中之影，鉤
　　　邊畫也；月下之影，沒骨畫也。（節錄第 186 則）

　　藝術融入生活，心齋之能醞釀，之能遐思，真可謂喚醒之高手。當然這當中「閒」字是不可少的，於是他便在以下幾則道出好處：

閒則能讀書，閒則能遊名勝，閒則能交益友。（節錄第 96 則）

忙人園亭，宜與住宅相連；閒人亭園，不妨與住宅相遠。（第 126 則）

能閒世人之所忙者，方能忙世人之所閒。（第 209 則）

清閒之餘若無所作為，也是虛度！而若能發揮創造力，充實生活深度，其「閒」便是從容。正像淵明的「孟夏草木長，繞屋樹扶疏。眾鳥欣有託，吾亦愛吾廬。既耕亦已種，且還讀我書」[17]。陶然自得，澹雅有致，於是張潮遂奔放其心情，寫下：

吾欲致書雨師：春雨宜始于上元節後（觀燈已畢），至清明十日前之內（雨止桃開），及穀雨節中；夏雨宜於每月上弦之前，及下弦之後（免礙于月）。（節錄第 36 則）

一月之計種蕉，一歲之計種竹，十年之計種柳，百年之計種松。（第 85 則）

這樣的作為，為自己悠閒怡悅之外，多了一些建設，正所謂娛樂不忘奉獻；而也在林林總總的情景中，有了回甘之饗宴。

---

[17] 《文選·附考異》（台北：藝文印書館，1983 年），卷 30，〈讀山海經詩一首〉，頁 433。

第三節 「物」之興──物我感嘆的抒發

舉凡物有一體兩面，情有悲喜二者，除了欣然自也有黯然，因此張潮便從感傷、反諷、抱怨甚至是期望的複雜角度，湧現另一種觀想。

一、靜思人事滄桑

對於人事一切，張潮從人從物感受到：

> 人謂女美于男，禽則雄華於雌，獸則牝牡無分者也。（節錄第 164 則）

> 鏡不幸而遇嫫母，硯不幸而遇俗子。（節錄第 165 則）

身為男人，竟出 164 則之言，不免流於酸醋味之遊戲語；而第 165 則可就是滿腹經綸卻淹蹇一生之慨嘆，諷諭中鏡子常是投射的代言者。再看：

> 世間大不平，非劍不能消也。（節錄第 128 則）

> 貌有醜而可觀者，有雖不醜而不足觀者；文有不通而可愛者，有雖通而極可厭者；此未易與淺人道也。（第 176 則）

> 鏡不能自照，衡不能自權，劍不能自擊。（第 218 則）

　　張潮這番發抒，令人想起魏武帝曹操的短歌行：「慨當以慷，憂思難忘，何以解憂，唯有杜康。」[18] 酒讓人們胸中磊塊消除，使人輕鬆，但這僅止於小我；面對人世之大不平，有可能得借助刀槍訴諸武力，此時「劍」成了所向披靡凸顯神威的最佳利器。這種俠客精神，除奸斬惡的態度，的確滿足「律法」之外的人性渴望。

　　當然不能「自照、自權、自擊」洵是一種缺點一種遺憾，顯見劍也有「未易與淺人道也」的遺憾，而人又豈能自吹自擂，毫無省覺！

　　而現實生活中又有哪些引以為憾的呢？張潮提到：

> 假使夢能自主，雖千里無難命駕，可不羨長房之縮地；死者可以晤對，可不需少君之招魂；五嶽可以臥遊，可不俟婚嫁之盡畢。（第30則）

> 天下唯鬼最富，生前囊無一文，死後每饒楮鏹；天下唯鬼最尊，生前或受欺凌，死後必多跪拜。（第38則）

> 天下器玩之類，其製日工，其價日賤。（節錄第60則）

　　人活著辛苦，活著不圓滿，便想藉著「夢」來達成，可惜的是，事與願違。更諷刺的是，生前窮途潦倒，死後竟能受人尊敬，生與死之間，富與貧之間，張潮做了犀利的批判。

　　但終歸文人之嘆，矛盾之迷思，還是藉由以下三則詮釋殆盡：

---

[18] 《文選・附考異》，卷28，頁398。

痛可忍，而癢不可忍；苦可耐，而酸不可耐。（第 185 則）

文人每好鄙薄富人，然於詩文之佳者，又往往以金玉、珠璣、錦繡譽之，則又何也？（第 208 則）

惠施多方，其書五車，虞卿以窮愁著書，今皆不傳。不知書中果作何語？我不見古人，安得不恨？（第 114 則）

口是心非之矛盾，張潮所言真乃有「癢」、「酸」勁，直接披露！而無法親炙前賢之作這對張潮是一件憾事，對無數嗜學者而言，無法借古鑑今，無法推陳出新，更是憾恨。

二、領略物華盛衰

朝有興盛衰敗，人有榮辱得失，張潮藉由物我投射感興，更凸顯燦爛之相反一面的萎落：

新月恨其易沈，缺月恨其遲上。（第 25 則）

一恨書囊易蛀，二恨夏夜有蚊，三恨月臺易漏，四恨菊葉多焦，五恨松多大蟻，六恨竹多落葉。（節錄第 27 則）

凡事有得有失，東坡曾言：「人有悲歡離合，月有陰晴圓缺，此事古難全。」[19] 因為缺月的機會比月圓來得多，自是情深也無以寄！凡事

---

[19]《全宋詞》（台北：世界書局，1984 年），第 1 冊，頁 280。

有喜有憂，花開好，但謝了令人哀傷；松風佳，但多蟻叫人難以忍受；河豚美味，不過劇毒不可不留意，顯見張潮的觀察入微。現實生活中的比較，尚可延伸以下幾項：

> 當為花中之萱草，毋為鳥中之杜鵑。（第 46 則）

> 牛與馬，一仕而一隱也；鹿與豕，一仙而一凡也。（第 158 則）

宋朝辛棄疾有詞說道：「百紫千紅過了春，杜鵑聲苦不堪聞。」[20] 杜鵑啼血令人增憂使人增愁，這股淒楚的意象，也成了它被排擠的原因，而寧可選擇「忘憂」的萱草，用以解憂。至於「鹿與豕」對照，豬遂落入「凡」間。而從優劣角度觀看又會如何：

> 無其罪而虛受惡名者，蠹魚也（蛀書之蟲，另是一種，其形如蠶蛹而差小）；有其罪恒逃清議者，窩匾也。（第 214 則）

> 臭腐化為神奇，醬也、腐乳也，金汁也。至神奇化為臭腐，則是物皆然。（第 215 則）

蠹魚窩匾於人並無貢獻，但二者一經比較，蠹魚則要受不白之冤；臭腐與神奇，神奇倘若無法固守，則化為臭腐勢在必然。物華之理，與人之行世，不相違背。

---

[20] 鄧廣銘箋注：《稼軒詞編年箋注》（台北：華正書局，1989 年），卷 4，〈定風波‧賦杜鵑花〉，頁 402。

第四節 「語」之得——語文天地的馳騁

在《幽夢影》中有關讀書、評論、寫作、繪畫等內容，洵是不勝枚舉的。本節茲就這些題材，逐一加以細述。

一、暢談讀書與寫作

張潮對於「讀書」之心得，收穫頗多。孔子曾言：「學而不思則罔，思而不學則殆。」[21] 意即學習與思考是同樣重要的。有了學習及思考的配合，許多的意見看法與創作心得，自然油然而生。而張潮在這方面的看法又是如何：

> 讀經宜冬，其神專也；讀史宜夏，其時久也；讀諸子宜秋，其致別也；讀諸集宜春，其機暢也。（第 1 則）

> 經、傳宜獨坐讀，史、鑑宜與友共讀。（第 2 則）

> 先讀經，後讀史，則論事不謬于聖賢；既讀史，復讀經，則觀書不徒為章句。（第 210 則）

這三則的共通處，在於均提列「經傳史鑑」諸書。其間，張潮首先提出「四季」之說，把不同的書籍配合不同的季節，其功效更是彰顯。其次，有些書適合自我沉潛靜思，有些書適宜與朋友分享討論，方有助

---

[21] 《四書集注》甲種本，上論，卷 1，〈為政第二〉，頁 10。

益。至若喜悅悲傷，前後順序，又是一番獨到見解。綜觀其目的乃以精
闢闡發，精要論述，將其美好的經驗散放傳播。再看：

少年讀書，如隙中窺月；中年讀書，如庭中望月；老年讀書，如
臺上玩月。皆以閱歷之淺深，為所得之淺深耳。（第35則）

誦讀之書籍，不必過求其備；若以供稽考，則不可不求其備。（節
錄第88則）

藏書不難，能看為難；看書不難，能讀為難；讀書不難，能用為
難；能用不難，能記為難。（第92則）

不同的年齡，有不同的閱歷，心齋以賞月談論讀書心境，可謂一絕。
而學海無涯書海也無涯，藏書若不看，便是炫耀罷了；看了書若不能運
用，恐成了兩腳書櫥而已。又言：

延名師訓子弟，入名山習舉業，丐名士代捉刀，三者都無是處。
（第70則）

凡事不宜刻，若讀書則不可不刻；凡事不宜貪，若買書則不可不
貪。（節錄第118則）

創新庵不若修古廟，讀生書不若溫舊業。（第124則）

由張潮這番話不由得想到韓愈〈進學解〉中論及：「業精于勤荒於

嬉，行成于思毀于隨。」[22] 可見讀書不刻則不嚴，不嚴則無所成。而嚴
之中，溫故而知新是十分必要的，如此才能在此基礎上有所收穫。至於
爲了科舉，求名師入名山請名士，則是讀書之大忌，不足取也。

對於廣泛的涉獵，深入鑽研，心齋則又表示：

> 涉獵雖曰無用，猶勝于不通古今。（節錄第 134 則）

> 善讀書者，無之而非書，山水亦書也，棋酒亦書也，花月亦書也；
> 善遊山水者，無之而非山水，書史亦山水也，詩酒亦山水也，花
> 月亦山水也。（第 147 則）

> 喜讀書者不以忙閒作輟。（節錄第 153 則）

> 天下無書則已，有則必當讀。（節錄第 166 則）

有書必讀，是最必要的。而讀的書，其精髓之來源，其面貌之多樣，
可謂處處留心皆學問。只要用心，參悟體會唾手可得。

假若與其他活動相比較，張潮覺得值得嗎？他說：

> 昔人欲以十年讀書，十年遊山，十年檢藏。予謂檢藏儘可不必十
> 年，只二、三載足矣。若讀書與遊山，雖或相倍蓰，恐亦不足以
> 償所願也，必也如黃九煙前輩之所云：「人生必三百歲而後可

---

[22] 唐·韓愈撰、清·馬其昶校注、民·馬茂元編次：《韓昌黎文集校注》，卷 1，
頁 25。

乎？」（第 179 則）

　　能讀無字之書，方可得驚人妙句；能會難通之解，方可參最上禪
機。（第 187 則）

　　由上可知讀書依然是最重要的精神活動，即便花一輩子也是值得
的！甚至如第 179 則中「必三百歲而後可」，雖是誇大，但書的魅力的
確是無法擋的。既然花上一輩子也無悔，那麼解讀人生這一本無字天
書，其好處自是無入而不自得了。

　　至於有哪些書是張潮個人讀了之後感受最深的呢？

　　《水滸傳》武松詰蔣門神云：「為何不姓李？」此語殊妙。蓋姓
實有佳有劣，如華、如柳、如雲、如蘇、如喬，皆極風韻。若夫
毛也、賴也、焦也、牛也，則皆塵於目而棘於耳者也。（第 55
則）

　　《水滸傳》是一部怒書，《西遊記》是一部悟書，《金瓶梅》是
一部哀書。（第 99 則）

　　當中所列均是小說，而最受其青睞的是《水滸傳》。這便呼應了他
所言：「著得一部新書，便是千秋大業；注得一部古書，允為萬世宏功。」
（本著附錄一第 69 則）作為文人，能寫出像此一類作品，不啻快意一
件。而能將自己所體悟之理形諸筆墨，不僅內心所思所想獲得暢適發
抒，讀者也從中明白人生道理，又是功德一椿。

除了讀書之外，對於「寫作」之想法，張潮也藉由筆端流露：

> 並頭聯句、交頸論文，宮中應制，歷使屬國，皆極人間樂事。（第
> 54 則）

> 著得一部新書，便是千秋大業；注得一部古書，允為萬世宏功。
> （第 69 則）

詩詞酬唱，探求技巧；奇文共賞，相互切磋，對於激發創作熱情，
洵是一大助益。所擔憂的是，才情被富貴功名所掩，靈魂讓局勢所害，
風雅成了附庸，寫作成了沽名！倘若能將立言立說立論加以重視，不被
外物左右，則著書注書，定能如第 69 則之說法，既是千秋大業更是萬
世宏功，必可萬古流芳。他又提及：

> 大家之文，吾愛之、慕之，吾願學之；名家之文，吾愛之、慕之，
> 吾不敢學之。學大家而不得，所謂刻鵠不成尚類鶩也；學名家而
> 不得，則是畫虎不成反類狗矣！（第 73 則）

> 詩、文之體得秋氣為佳，詞、曲之體得春氣為佳。（第 87 則）

> 文章是案頭之山水，山水是地上之文章。（第 97 則）

所謂文如其人，文章風格，應有個人之獨特典範在。大家名家之作，
只能作為學習對象，切不可依樣畫葫蘆，喪失個人風貌。而文章本就是
得依其體裁作為定奪，依其要件作為方向，如此方可完成佳作，掌握應

有魅力，使讀者得以領略無窮，回味不盡。誠如上文所言：「文章是案頭之山水」，巧奪天工之妙，存乎一心，外現於筆，作家當引以為用。

藉由以上之推衍，張潮遂有以下之見：

> 發前人未發之論，方是奇書。（節錄第 101 則）

> 古今至文，皆血淚所成。（第 159 則）

> 古人云：「詩必窮而後工。」蓋窮則語多感慨，易於見長耳。若富貴中人，既不可憂貧歎賤，所談者不過風雲月露而已，詩安得佳……借他人之窮愁，以供我之咏歎，則詩亦不必待窮而後工也。（節錄第 219 則）

張潮不僅對於司馬遷的〈序〉有所感發，[23]更將歐陽修的主張在這裡詮釋說明，意有所鬱結遂發憤而作的看法。是以「字字血淚」此乃發自肺腑，而非無病呻吟；而「詩必窮而後工」，更是其親身經驗，流淌鋪陳。

至於實際寫作，他又有哪些心得？

> 作文之法，意之曲折者，宜寫之以顯淺之詞；理之顯淺者，宜運

---

23 瀧川龜太郎撰：《史記會注考證》（台北：漢京文化事業公司，1983 年），史記卷 130，頁 1372。〈太史公自序〉有言：「夫《詩》《書》隱約者，欲遂其志之思也。昔西伯拘羑里，演《周易》；孔子阨陳蔡，作《春秋》；屈原放逐，著《離騷》……《詩》三百篇，大抵聖賢發憤之所為作也。此人皆意有所鬱結，不得通其道也，故述往事，思來者。」

> 之以曲折之筆；題之熟者，參之以新奇之想；題之庸者，深之以
> 關繫之論；至于窘者舒之使長，縟者刪之使簡，俚者文之使雅，
> 鬧者攝之使靜，皆所謂裁制也。（第 171 則）

> 予嘗偶得句，亦殊可喜，惜無佳對，遂未成詩。其一為「枯葉帶
> 蟲飛」，其一為「鄉月大於城」。（節錄第 204 則）

第 171 則中針對寫作之法，他首先提到面對曲折內容，宜以「顯淺之詞」，而不是使用冷僻之字；處理淺顯之理，則該用「曲折之筆」，方可互相幫襯。諸如此類之語，在文中均一一申論，既有具體技巧之分析，又有文章學專論之探討，可謂與曹丕〈典論論文〉的「奏議宜雅，書論宜理，銘誄尚實，詩賦欲麗，此四科不同」[24]，有異曲同工之妙。

此外張潮也將其偶得之句，公諸於世，頗有拋磚引玉之思。蓋創作靈感常在不意之間湧現，有時如泉湧源源不絕，有時如柳絮因風飄起，但是否能進一步得以完成，就不得而知了。所以張潮特別建議，不妨「姑存之」，或許以後能有更好的佳對，定可一拍即合。

二、品評藝文字畫

除了讀書寫作之外，張潮也愛對於文學藝術予以批判，如在「聲韻」方面，他就認為：

> 平上去入，乃一定之至理，然入聲之為字也少，不得謂凡字皆有
> 四聲也。世之調平仄者，于入聲之無其字者，往往以不相合之音

---

[24] 《文選・附考異》，卷 52，頁 734。

隸於其下，為所隸者，苟無平上去之三聲，則是以寡婦配鰥夫，
猶之可也，若所隸之字，自有其平上去之三聲，而欲強以從我，
則是干有夫之婦矣，其可乎？姑就詩韻言之：如東、冬韻無入聲
者也，今人盡調之以東、董、凍、督，夫「督」之為音，當附於
都、睹、妒之下，若屬之於東、董、凍，又何以處夫都、睹、妒
乎？若東、都二字，俱以「督」字為入聲，則是一婦而兩夫矣，
三江無入聲者也，今人盡調之以江、講、絳、覺，殊不知「覺」
之為音，當附於交、絞、教之下者也，諸如此類，不勝其舉。然
則，如之何而後可？曰鰥者聽其鰥，寡者聽其寡，夫婦全者安其
全，各不相干而已矣（東、冬、歡、桓、寒、山、真、文、元、
淵、先、天、庚、青、侵等字……）。（第98則節錄）

陳平封曲逆侯，史、漢注皆云音：「去遇」。予謂此是北人土音
耳，若南人四音俱全，似仍當讀作本音為是（北人于唱曲之曲，
亦讀如去字）。（第190則）

古人四聲俱備，如「六」、「國」二字，皆入聲也。今梨園演蘇
秦劇，必讀「六」為「溜」，讀「國」為「鬼」，從無讀入聲者。
然考之《詩經》，如「良馬六之」、「無衣六兮」之類，皆不與
去聲協，而協祝告燠。「國」字皆不與上聲協，而協入陌質韻，
則是古人似亦有入聲。（節錄第191則）

蘇東坡和陶詩，尚遺數十首，予嘗欲集坡句以補之，苦於韻之弗
備而止。如責子詩中：「不識六與七，但覓梨與栗」，七字、栗
字皆無其韻也。（第203則）

不管是《說文解字》、戲曲，或是詩詞，對於聲韻使用與詮釋，張
潮既重視事實，也透過譬喻進行調侃及批評；一方面表達個人見解，一

方面釐正視聽。而在「字畫」品評方面他則又說：

> 楷書須如文人，草書須如名將。行書介乎二者之間，如羊叔子緩帶輕裘，正是佳處。（第 13 則）

> 無益之施捨，莫過於齋僧；無益之詩文，莫甚于祝壽。（第 122 則）

這些見解，大抵以欣賞居多，而張潮雖不善於書法，但在鑑賞一事上，有其悠閒輕鬆的比喻。至於較具一針見血之評論，當屬第 122 則。畢竟阿諛奉承吹捧歌頌之作，無益於抒情也無益於言志。

對於某些「技藝」方面，他又覺得：

> 雖不善書，而筆硯不可不精；雖不業醫，而驗方不可不存；雖不工弈，而楸枰不可不備。（第 77 則）

> 史官所紀者，直世界也；職方所載者，橫世界也。（第 90 則）

> 先天八卦，豎看者也。後天八卦，橫看者也。（第 91 則）

張潮著有〈貧卦〉（見本著第一章），故藉此將陰陽之理，更迭演進加以探討。此外自娛或者與友互通，筆墨紙硯等，均是必備的風雅之物；至於驗方雖屬小偏方，但有時救急卻是益人益己的。

另外在「講學」方面，他則是提出：

> 嚴君平以卜講學者也；孫思邈以醫講學者也，諸葛武侯以出師講
> 學者也。（第163則）

> 擲陞官圖，所重在德，所忌在贓，何一登仕版，輒與之相反耶？
> （第200則）

　　方法之多，可謂取之不盡，用之不竭，全為作育英才，而不是使其
傷風敗德，有違天良。以第163則而論，平素講學皆以設帳授徒的傳統
方式，但此處提出更多的選擇，於是「賣卜、研究專業領域、行軍打仗」
也是傳授之方，可謂特殊。

　　至於若有不滿於「輿論」時，他又當如何？曰：

> 昔人云：「婦人識字，多致誨淫。」予謂此非識字之過也，蓋識
> 字則非無聞之人，其淫也，人易得而知耳。（第146則）

> 官聲採於輿論，豪右之口與寒乞之口，俱不得其真；花案定於成
> 心，艷媚之評與寢陋之評，概恐失其實。（第150則）

　　張潮認為涉獵的範圍宜廣，系統的研習宜深，方不致有「失之千里」
或是「隨波逐流」之恨。

　　本章之分類，不套用瑣碎繁雜的舊窠，一乃方便讀者明瞭全文的內
容與性質，再者則是表達筆者獨出心裁之見地，兩全其美，其「宜」也。

第五章《幽夢影》雋永優美的修辭技巧

　　在《幽夢影》中修辭所佔有的地位是十分重要的。近代修辭學專家蔡宗陽曾提到：「修辭是文學的美容師，修辭可以美化文學，文學可以美化人生」[1]，顯見修辭影響文學之深遠，並深獲文學家之重視。

　　而張潮所著的《幽夢影》一書中具備了雋永多采的修辭，面貌之廣辭格之多，足以叫人嘆為觀止。由於《幽夢影》的修辭豐富多樣，因此筆者在分析時，便採融合諸家見解與參酌己見的模式，將其內容做更翔實的探討，以利讀者更能清晰明辨。

　　首先就《幽夢影》中具有的所有辭格，主要參酌黃慶萱的分類方式與順序，[2] 意即將其區分為：「表意修辭」與「形式修辭」兩類；其次是兼併蔡宗陽所論：「辭格的辨析，必須掌握四個原則：（一）就整體內容而言，（二）就整體形式而言，（三）就部分內容而言，（四）就部分形式而言。」[3] 依此推衍，則大部分文句除有單一辭格外，更有兩種或以上的辭格，方為完整。綜上所述，本章乃分「表意或形式的單一修辭」、「表意或形式的兼格修辭」兩節做深入解析。

---

[1] 《應用修辭學》（台北：萬卷樓圖書公司，2001年），頁3。
[2] 黃慶萱教授在《修辭學》上篇「表意方法的調整」中列有感嘆、設問、摹寫、仿擬、引用、藏詞、飛白、析字、轉品、婉曲、誇飾、譬喻、借代、轉化、映襯、雙關、倒反、象徵、示現、呼告等20種，而下篇「優美的形式設計」則有鑲嵌、類疊、對偶、排比、層遞、頂真、回文、錯綜、倒裝、跳脫等10類（台北：三民書局出版社，1986）。
[3] 《應用修辭學》，頁6。

第一節　表意或形式的單一修辭

不管是表意或是形式方面的單一修辭，《幽夢影》中的例子可謂多不勝數，以下先介紹「表意」修辭，再說明「形式」設計的修辭技巧。

一、表意修辭

在「表意修辭」一類中，主要是針對內容辭意表達而言，包含部分與整體。

（一）感嘆

無論是憤怒、驚訝、痛苦、可喜可賀等情緒，透過感嘆修辭均可加強所表達的感情或思想，以觸引讀者或聽者的共鳴。針對《幽夢影》內文中的感嘆修辭大抵有「藉由助詞表達感嘆」的，如：

> 十歲為神童，二十、三十為才子，四十、五十為名臣，六十為神仙，可謂全人矣！（第 63 則）

> 讀書最樂，若讀史書則喜少怒多，究之怒處亦樂處也。（第 100 則）

> 才子而美姿容，佳人而工著作，斷不能永年者，匪獨為造物之所忌，蓋此種原不獨為一時之寶，乃古今萬世之寶，故不欲久留人世，以取褻耳。（節錄第 189 則）

第一例則是以「矣」字，寫下一份嚮往歡樂之情。第二例中，作者

表示雖然讀史書或爲奸邪當道而感傷，或爲山河殘破而唏噓，但藉此思正直思義理，則一個「也」字，該有所値得高興之讚嘆在。第三例中，才子佳人如此寶貴，豈容玷污，「耳」一字，已作了嘆惋表意。

當然也有經由「設問中寄寓感嘆」的：

> 古人云：「詩必窮而後工。」蓋窮則語多感慨，易於見長耳。若富貴中人，既不可憂貧歎賤，所談者不過風雲月露而已，詩安得佳？（節錄第219則）

感嘆之意已由「蓋窮則語多感慨」一句開啓，而「詩安得佳？」遂承其憂嘆而思，並對富者有所諷刺。

至於由「驚嘆號表達感嘆」則是有：

> 然自明以來，未見有創一體裁新人耳目者，遙計百年之後，必有其人，惜乎不及見耳！（節錄第71則）

> 秋蟲春鳥，尚能調聲弄舌，時吐好音，我輩搦管拈毫，豈可甘作鴉鳴牛喘！（第167則）

前一則因爲無法見到創造出一種文體，使人耳目一新，是以有「惜乎」之語、「耳」之助詞，遂以驚嘆號做結。

下則以文人當對社會負起責任，不能將創作視爲洩憤攻擊之工具，故以「豈可」作出發，用驚嘆號收尾。

（二）設問

刻意設計「設問」往往會激起好奇與加深印象，在《幽夢影》中的

設問修辭，有時是「有問有答」式的：

> 何謂善人？無損於世者則謂之善人。何謂惡人？有害于世者則謂
> 之惡人。（第94則）

對於善惡之別？張潮自問自答，做了機智的答覆，而這也就是其他
者所主張的「提問」。

有時是「問而不答」的：

> 許氏《說文》分部，有止有其部，而無所屬之字者，下必註云：
> 「凡某之屬，皆從某。」贅句殊覺可笑，何不省此一句乎？（第
> 140則）

雖是問而未答，但答案已經十分明確呈現。而如果出現「疑問」式
也常令人有所注意：

> 我不知我之生前，當春秋之季，曾一識西施否？當典午之時，曾
> 一看衛玠否？當義熙之世，曾一醉淵明否？（節錄第108則）

文中連用數個疑問，的確強烈撼動人心，當然也對於作者內心的渴
望一覽無遺。

（三）摹寫

當聲音吸引人，當景色宜人，當味覺被觸動，當許多的情狀湧現，
那麼摹寫應是最佳的手法。《幽夢影》中的摹寫修辭在「聽覺」方面有：

> 春聽鳥聲，夏聽蟬聲，秋聽蟲聲，冬聽雪聲。（節錄第 7 則）

透過「聲音性質與種類」，不涉字義之描摹，連續以物傳達聲音之想像，也頗具聽覺之美。

而運用眼睛的接觸「視覺」之美也會引人遐思：

> 景有言之極幽，而實蕭索者，煙雨也。（節錄第 23 則）

迷濛之間，其幽清與蕭索，格外有一份視覺效果湧現。當然若有「綜合」的情境，也是十分迷人的，如：

> 以松花為量，以松實為香，以松枝為麈尾，以松陰為步障，以松
> 濤為鼓吹；山居得喬松百餘章，真乃受用不盡。（第 115 則）

這番視覺、聽覺、味覺、心緒等揉搋一起，其感官更是豐富，更是「受用不盡」。

（四）仿擬

模仿有時是必然的，但模仿則得深具巧思或含蘊諷刺意味，才能脫穎而出。有關《幽夢影》的仿擬例子，大致有「以意義分——反仿」一類：

> 貧而無諂，富而無驕，古人之所賢也；貧而無驕，富而無諂，今
> 人之所少也。足以知世風之降矣。（第 178 則）

「貧而無諂，富而無驕」是《論語・學而》篇中子貢所說的話，[4] 此處張潮延伸其義，提出了「貧而無驕，富而無諂」之說，除做古今對照，也更具反諷之旨。

另外也有「以文詞的組成結構分——仿句」一類的：

　　一月之計種蕉，一歲之計種竹，十年之計種柳，百年之計種松。（第 85 則）

張潮十分細膩的將《管子・權修》中的「一年之計，莫如樹穀；十年之計，莫如樹木；終身之計，莫如樹人。」[5] 多出「一月」之說，既有仿又有擴充。

（五）引用

中國最早提出「引用法」，並加以論述者，當屬莊子。在《莊子・寓言》開頭就說道：「寓言十九，重言十七，巵言日出，和以天倪。」[6] 莊子在此簡明扼要指陳「引用」之旨，對後世的確產生極大的影響。

大抵《幽夢影》中的引用修辭法，在「明引」方面：

　　黃九煙前輩之所云：「人生必三百歲而後可乎？」（節錄第 179 則）

---

[4] 《四書集注》甲種本，上論，卷 1，〈學而第一〉，頁 5。其原文：「子貢曰：『貧而無諂，富而無驕，何如？』子曰：『可也，未若貧而樂，富而好禮者也。』」
[5] 引自《景印文淵閣四庫全書》（台北：台灣商務印書館，1985 年），子部 35，法家類，卷 1，第 3，頁（729）-18。
[6] 引自《景印文淵閣四庫全書》，子部 362，道家類，卷 9，第 27，頁（1056）-140。

如菊以淵明為知己，梅以和靖為知己，竹以子猷為知己，蓮以濂
溪為知己，桃以避秦人為知己，杏以董奉為知己。（第 4 則）

前則引文，明確指出是「黃九煙」所說內容；而第二則中將每一個
人與其文章或故事，做了刪減，只以重點式提列，雖不完整，但其關鍵
之意已達。

而在「暗引」方面則有：

昔人云：「若無花月美人，不願生此世界。」（節錄第 17 則）

文中只提列昔人所說，但未詳述來自何人，成了暗引的修辭技巧。

（六）轉品

詞性的移轉是十分多樣，其用途主要在於能使語詞活潑有趣，使句
子能夠豐饒漂亮。茲就《幽夢影》中的轉品詞性作一介紹，其一「名詞
為動詞」的有：

躬耕吾所不能，學灌園而已矣；樵薪吾所不能，學薙草而已矣。
（第 26 則）

芰荷可食，而亦可衣；金石可器，而亦可服。（第 105 則）

第一則中的「樵」轉而有「砍伐」之意，逐能與「薙」字對照。第
二則中的「衣」、「服」、「器」，由服飾、器具轉而成為可穿可用的動作，
都是不錯的呈現。

也有「名詞為形容詞」的例子，如：

> 詩僧時復有之，若道士之能詩者，不啻空谷足音，何也？（第
> 45則）

　　句中的「空谷足音」本爲名詞，於此爲「形容詞」，成了可貴且難得的意義。除此，若以「形容詞爲動詞」使用，效果更爲提顯：

> 人謂女美于男，禽則雄華於雌，獸則牝牡無分者也。（第 164
> 則）

　　句中「華」字本是形容詞，此處變爲動詞使用，有「比……更爲華美」之義。

（七）婉曲

　　一談到「婉曲格」重在避開正面，旁敲側擊甚或委婉展現。是以《幽夢影》中所出現的婉曲格，便會有「不直說本意，採曲折之法」的：

> 春聽鳥聲，夏聽蟬聲，秋聽蟲聲，冬聽雪聲；白晝聽棋聲，月下
> 聽簫聲，山中聽松聲，水際聽欸乃聲，方不虛生此耳。若惡少斥
> 辱，悍妻詬誶，真不若耳聾也。（第7則）

> 妾美不如妻賢，錢多不如境順。（第123則）

　　第一則中，作者覺得難聽的是「惡少斥辱，悍妻詬誶」之聲，但卻不直接表白，反藉由各種美妙的音律，來作一襯托，其紆曲之文筆，的確高妙。至於第二則裡，作者心中的企盼昭然若揭，反而不直書本意，又有另一種烘托在。

有時也以「不願直陳，用微辭之法」的方法：

　　看曉粧宜于傅粉之後。（第 107 則）

明明是覺得晨起睡眼惺忪、蓬頭垢面的醜態難以入目；張潮竟從側面「傅粉之後」的曉妝下筆，不免使人在溫厚的「微辭」中體驗人之好惡。

（八）譬喻

　　譬喻格在修辭中是最生動有趣，也最容易被使用的表達方式之一，而《幽夢影》在這方面自然也是頗有成績的。由於在文中常見，所以詳細加以臚列分述於下：

　　1.明喻→甲（喻體）＋像、如（喻詞）＋乙（喻依）

　　對淵博友，如讀異書。對風雅友，如讀名人詩文。對謹飭友，如讀聖賢經、傳。對滑稽友，如閱傳奇小說。（第 12 則）

　　楷書須如文人，草書須如名將，行書介乎二者之間，如羊叔子緩帶輕裘，正是佳處。（第 13 則）

這種明喻的辭例，在文中屢見不鮮。第一則中，對於不同的朋友，有不同的比方，自給人更深的體驗；第二則，把書法的特色，以人之身分來凸顯其形貌，則更是烙印有力。

　　2.隱喻→甲（喻體）＋是（喻詞）＋乙（喻依）

　　文章是案頭之山水，山水是地上之文章。（第 97 則）

《水滸傳》是一部怒書，《西遊記》是一部悟書，《金瓶梅》是一部哀書。（第 99 則）

以上兩則，張潮將喻體與喻依二者一視同仁，其判斷意味十足。
3.略喻→甲（喻體）＋乙（喻依）

玉蘭，花中之伯夷也（高而且潔）；葵，花中之伊尹也（傾心向日）；蓮，花中之柳下惠也（污泥不染）；鶴，鳥中之伯夷也（仙品）；雞，鳥中之伊尹也（司晨）；鶯，鳥中之柳下惠也（求友）。（第 213 則）

修辭學專家沈謙談及：「雖省略喻詞，不過，喻體與喻依在形式上仍如明喻同樣屬相類似的關係，而非隱喻的結合關係。」[7] 是以上列花鳥與人之間的微妙關聯，真是極其具體的。
4.借喻→甲（喻體）被乙（喻依）所取代

黑與白交，黑能污白，白不能掩黑；香與臭混，臭能勝香，香不能敵臭；此君子、小人相攻之大勢也。（第 216 則）

鏡不能自照，衡不能自權，劍不能自擊。（第 218 則）

因爲喻體與喻詞已經全被省略，所以借喻會是譬喻中最爲精鍊的手法。上例第一則，「黑」（喻依）成了「小人」（喻體）、「白」（喻依）成

---

[7] 《修辭學》（台北：國立空中大學，2000 年），頁 22。

了「君子」(喻體)的不同化身,表達邪不勝正之理。第二則,「鏡」、「衡」、「劍」(喻依)取代「人」(喻體)的直接呈現,比喻出人該自我反省的重要性。

5.博喻→基本的構成方式是一個喻體,多種喻依

> 雲之為物,或崔巍如山,或激灩如水,或如人,或如獸,或如鳥豗,或如魚鱗,(節錄第58則)

張潮的觀察入微,對於「雲」這一個喻體,竟有多種「喻依」,真可謂嘆為觀止。

(九)借代

在我國古典文學作品中,「借代」的使用已經非常普遍!例如:《孟子‧告子》:「萬鍾則不辨禮義而受之,萬鍾於我何加焉。」[8] 句中的「鍾」借代為「粟」;又如魏武帝曹操〈短歌行〉:「對酒當歌,人生幾何?譬如朝露,去日苦多。慨當以慷,憂思難忘,何以解憂,唯有杜康。」[9] 詩中的「杜康」成了「酒」的借代。

至於《幽夢影》中有哪些借代?如第42、108則中提到:

> 一歲諸節,以上元為第一,中秋次之,五日、九日又次之。(第42則)

> 當天寶之代,曾一覯太真否?(節錄第108則)

8　《四書集注》甲種本,下孟,卷6,告子上,頁168。
9　《文選‧附考異》(台北:藝文印書館,1983年),頁398。

文中的「五日」借代「端午節」，「九日」是借代「重陽節」；「天寶」借代「唐玄宗」，「太真」借代「楊貴妃」等，就是以事物和事物的別稱代稱的「旁借」手法。

而第 57 則中張潮則使用了「對代」方式，將部分代替全部，如：

> 使非琳宮、梵剎，則倦時無可駐足，飢時誰與授餐？……虎豹蛇虺，能保其不為人患乎？（節錄第 76 則）

「琳宮、梵剎」借代所有的「道觀、寺院」；而「虎豹蛇虺」借代一切猛獸，借代之下更有耳目一新之得。

（十）轉化

張潮在《幽夢影》中也喜於將轉化的方式運用其間，而轉化的修辭特色其實早在春秋戰國就十分普遍。

在《莊子‧秋水》中就有一則十分有名的故事：「莊子與惠子遊於濠梁之上。莊子曰：『儵魚出遊從容，是魚樂也。』惠子：『子非魚，安知魚之樂？』」[10] 故事中，惠施將魚視為獨立，其心靈與天地萬物是分開的；而莊子則把自己感受之樂，投射魚之身上，是以他能肯定「魚之樂」，而這便是「轉化」修辭的具體表現。

此處將辭格定為「轉化」[11]，但內容分擬物與擬人兩類[12] 來分析《幽夢影》。其一「擬人」之例：

---

[10] 引自《景印文淵閣四庫全書》，子部 362，卷 6，第 17，頁（1056）88-89。
[11] 依黃慶萱《修辭學》的定名，頁 269。
[12] 黃麗貞：《實用修辭學》（台北：國家出版社，2000 年），頁 117。文中分為「擬物」與「擬人」兩類。

> 梅令人高，蘭令人幽，菊令人野，蓮令人淡，春海棠令人豔，牡
> 丹令人豪，蕉與竹令人韻，秋海棠令人媚，松令人逸，桐令人清，
> 柳令人感。（第 131 則）

> 如梅之為物，品最清高；棠之為物，姿極妖艷，即使同時，亦不
> 可為夫婦，不若梅聘梨花，海棠嫁杏，櫞臣佛手。（節錄第 138
> 則）

　　心齋在這兩則中，使所有的花均具人的姿態、能力、習性，著實叫
人不得不嘆服其巧思！

　　其二「擬物」：

> 願在木而為樗（不才終其天年），願在草而為蓍（前知），願在
> 鳥而為鷗（忘機）。（節錄第 18 則）

> 所謂美人者，以花為貌，以鳥為聲，以月為神。（節錄第 135 則）

　　在這兩則中心齋又把人幻化為物，不僅賦有想像，其內心之渴盼也
自然湧現。

（十一）映襯

　　若說譬喻法是最容易被人使用的，那麼在《幽夢影》中，映襯辭格
也屬於常客了。

　　張潮有時會利用「反襯」，對同一事物，以本質相反之形容或副詞
加以發揮，例如：

雨之為物，能令晝短，能令夜長。（第43則）

養花膽瓶，其式之高低大小，須與花相稱，而色之淺深濃淡，又須與花相反。（第61則）

以第一則為例，同樣以「雨」為主體，而「長、短」便是相反之形容詞；而第二則，瓶子是主體，首先出現的是「高與低」、「大與小」、「淺與深」、「濃與淡」之反襯，其次「相稱」與「相反」又是一項反襯。

或對於不同的人、事、物時，他則用兩種不同的觀點以「對襯」方式巧妙互動：

入世須學東方曼倩，出世須學佛印了元。（第10則）

少年人須有老成之識見，老成人須有少年之襟懷。（第15則）

上列兩則，在不同狀況不同年齡不同角色下，有了不同的對襯安排。而第一則中提出實際的人選以供參考，第二則以互換的角度切入。

或許對同一人、事、物，用兩種不同的觀點的「雙襯」法，也是極佳的安排：

有惡無善是小人（其偶有為善處，亦必有所為），有善無惡是仙佛（其所謂善，亦非吾儒之所謂善也）。（節錄第3則）

玩月之法，皎潔則宜仰觀，朦朧則宜俯視。（第116則）

在第一則中針對小人而言,「有、無」是雙襯,針對仙佛而言,「有、無」也是雙襯。至於第二則,月亮有皎潔有朦朧,其「仰觀、俯視」也是雙襯。顯見張潮透過不同角度,想呈現更清晰的意涵。

（十二）示現

人們的想像力是無遠弗屆的,而藉由語文所呈現的奇妙更是令人讚嘆不已的。戰國時期的愛國詩人屈原在其作品《離騷》中寫道:「駟玉虬以桀鷖兮,溘埃風余上征。朝發軔於蒼梧兮,夕余至乎縣圃……吾將上下而求索,飲余馬於咸池兮,總余轡乎扶桑,折若木以拂日兮。」[13] 如此上天下地的豐富想像,洵是示現手法的成功表白。而張潮其示現的方式也有其迷人之處,如採用「預言的示現」:

> 築臺可以邀月,種蕉可以邀雨,植柳可以邀蟬。（節錄第 22 則）

> 吾欲致書雨師:春雨宜始于上元節後（觀燈已畢）,至清明十日前之內（雨止桃開）,及穀雨節中。（節錄第 36 則）

前則文中種何種因,結何種果;有雅致的鋪設,便有閑雅的美景,其尚未出現的景觀,被張潮一說,彷彿已在眼前,而且是可以預期的。後則中,根據事物發展的常規與人心的渴望,做了可能的推斷。有時他則採取「懸想的示現」:

> 假使夢能自主,雖千里無難命駕,可不羨長房之縮地;死者可以晤對,可不需少君之招魂;五嶽可以臥遊。（節錄第 30 則）

---

[13] 屈原等著:《楚辭四種》（台北:華正書局,1989 年）,頁 15-16。

一個意念或是一個白日夢，強烈的情思，皆能滿足此刻眾人的心！在這方面，張潮的確是周到且窩心的。

二、形式修辭

在「形式修辭」一類中，主要是針對設計語文優美的形式而言，包含部分與整體。

（一）類疊

類疊應區分為「類」與「疊」，《幽夢影》中的類疊又以「類」為主，「疊」之句式只有一、二罷了，例如：

厭催租之敗意，亟宜早早完糧；喜老衲之談禪，難免常常布施。（第81則）

文中的「早早」與「常常」均是「複詞疊字」，有更加修飾動詞效果。而在「類」字或句的部分，就十分普及了，而且張潮幾乎是愛不釋手，將各種詞性皆派上用場，如「動詞」的：

一恨書囊易蛀，二恨夏夜有蚊，三恨月臺易漏，四恨菊葉多焦，五恨松多大蟻，六恨竹多落葉，七恨桂、荷易謝，八恨薜、蘿藏虺，九恨架花生刺，十恨河豚多毒。（第27則）

上列的類字「恨」既呈現句式之連接，又將作者心情之苦毫不保留托出。又如「副詞」的：

經、傳宜獨坐讀，史、鑑宜與友共讀。（第2則）

　　句中的「宜」以副詞類字出現，將個人見解做更直接的說明。或者是「名詞」的：

> 天下有一人知己，可以不恨。不獨人也，物亦有之。如菊以淵明
> 為知己，梅以和靖為知己，竹以子猷為知己，蓮以濂溪為知己，
> 桃以避秦人為知己，杏以董奉為知己，石以米顛為知己，荔枝以
> 太真為知己，茶以盧仝、陸羽為知己，香草以靈均為知己。（節
> 錄第 4 則）

　　張潮將「知己」在每一句重複出現，十足呼應了文一開始的「有一知己，可以不恨」的心願。或是「期望語氣詞」方面的：

> 願在木而為樗（不才終其天年），願在草而為蓍（前知），願在
> 鳥而為鷗（忘機），願在獸而為麂（觸邪）。（節錄第 18 則）

　　每一句中的「願」，是期許，也是一種渴望。而如果把「助詞」連用也會有不錯的效果：

> 藝花可以邀蝶，累石可以邀雲，栽松可以邀風，貯水可以邀萍，
> 築臺可以邀月，種蕉可以邀雨，植柳可以邀蟬。（第 22 則）

　　每一句「可以」接二連三的出現，充滿了喜樂之情，也為大地增添了美麗色彩。當然若將其「指稱詞」呈現，效果也是十分奇特：

> 雲之為物，或崔巍如山，或澈灩如水，或如人，或如獸，或如鳥

毛，或如魚鱗，故天下萬物皆可畫，惟雲不能畫。市所畫雲，亦
強名耳。（第58則）

此一段文義中的「或」便是「雲」的指稱，在此以指稱詞的方式呈
現，可謂一舉兩得。不過張潮更喜於將其「綜合」排列：

筍為蔬中尤物，荔枝為果中尤物，蟹為水族中尤物，酒為飲食中
尤物，月為天文中尤物。（節錄第172則）

句中的「為」、「中」、「尤物」，則是動詞、形容詞、名詞組成的綜
合類字。

（二）對偶

就美學而言，句式的對偶對稱，就像蝴蝶的翅膀，平穩輕盈，可以
帶給人們視覺的平衡安定，更可以帶來心情愉悅滿足。由於《幽夢影》
具有清言的體例特質，因此文中以駢偶或排比出現的機率成了數一數二
的安排。

在以下的介紹中，採取寬對的原則，將《幽夢影》之對偶格，分四
類做一說明。其一為「句中對」：

善多惡少是賢者（如顏回不貳過，有不善未嘗不知、子路，人告
有過則喜之類），善少惡多是庸人，有惡無善是小人（其偶有為
善處，亦必有所為），有善無惡是仙佛（其所謂善，亦非吾儒之
所謂善也）。（節錄第3則）

為濁富不若為清貧；以憂生不若以樂死。（第37則）

　　前一則中的「善多」對「惡少」、「善少」對「惡多」、「有惡」
對「無善」、「有善」對「無惡」等均是句中對。而下一則的「濁富」
對「清貧」、「憂生」對「樂死」也是一項句中對的安排。其二是「單
句對」，這種前後對照的模式，既整齊又清楚表白所要掌握的重點：

　　妾美不如妻賢，錢多不如境順。（第123則）

　　創新庵不若修古廟，讀生書不若溫舊業。（第124則）

　　不管是正對或反對，單句對的句式以兩句前後對稱為主，在《幽夢
影》中類似這樣單純兩句的句型，尚有多處。或有時則是「隔句對」的
烘托：

　　南北東西，一定之位也；前後左右，無定之位也。（第75則）

　　方外不必戒酒，但須戒俗；紅裳不必通文，但須得趣。（第78
　　則）

　　按黃麗貞之說法，隔句對也有扇對、雙句對，這種對偶要以「四句」
為基本，意即第一句和第三句對；第二句和第四句對。[14] 以上這些均合
乎此要求，乃一對三、二對四的對偶形式，其他如此例者不勝枚舉。至
於「長對」則有：

―――――――――

[14] 《實用修辭學》，第19章，頁297（從形式當中的隔句對之說明）。

> 有山林隱逸之樂，而不知享者，漁樵也，農圃也，緇黃也；有園
> 亭姬妾之樂，而不能享、不善享者，富商也，大僚也。（第137
> 則）

> 閒人之硯，固欲其佳，而忙人之硯，尤不可不佳；娛情之妾，固
> 欲其美，而廣嗣之妾，亦不可不美。（第192則）

除以上二則，類似之例也是十分眾多，而這樣的排列組合，皆留給讀者如潮水般強烈而深刻的印象。

（三）排比

前已提及排比與對偶在《幽夢影》文中出現機率是最多的，以下將逐一敘述。而由於近代對於排比之基本要素，有了「二」與「三」項的不同見解，張春榮就曾將這一些爭議逐一列舉。[15] 主張以「三」為基準，最主要是以數量作區隔，最簡單又不會和對偶纏夾不清。筆者視《幽夢

---

[15] 《修辭新思維》，頁142-144。文中說道：黃慶萱《修辭學》第24章排比中，包括兩組句群排比之例，然其《學林探幽》中〈辭格的區分與交集〉已加以修訂。主張「排比」應為三句或三句以上，結構相同或相近者，並謂：「沈謙《修辭學》給排比加了一個條件：『最少三句』，大陸出版的《漢語修辭格大辭典》中，排比定義為：『用三個或三個以上結構相同或相似、語句一致的詞組或句子，以表達相關的內容。』於是，對偶與排比有了數學上的標準，而能客觀區別了。」（該書著者曾當面向黃氏請教，證實其修訂的觀點。）此外，諸多修辭學著作均明白指出：「排比」為三句或三句以上。如：1.成偉鈞、唐仲揚、向宏業主編：《修辭通鑑》，2.黎運漢、張維耿：《現代漢語修辭學》，3.蔡謀芳：《表達的藝術—修辭二十五講》，4.張春榮：《修辭行旅》，5.黃麗貞：《實用修辭學》……等十餘家均採此說。當然也有認同陳望道《修辭學》所認為的：「排比格中也有只用兩句相互排比的。」如：1.杜淑貞：《現代實用修辭學》，2.蔡宗陽：《應用修辭學》，3.蕭蕭：《現代詩學》，4.陳啓佑：《新詩形式設計的美學》等。

影》中的實際內容，茲合兩方面加以介紹，第一類是屬於「詞組排比」的：

> 古之不傳于今者，嘯也、劍術也、彈棋也、打毬也。（第 44 則）

> 蓋姓實有佳有劣，如華、如柳、如雲、如蘇、如喬，皆極風韻。若夫毛也、賴也、焦也、牛也，則皆塵於目而棘於耳者也。（節錄第 55 則）

第一則中張潮排出了四種失傳的文化藝術，第二則對於諸多姓氏的優劣，表達出作者個人的好惡，這些皆是詞組排比的運用。其他如這類的靈活安排者，在書中仍具多數。第二類則是「句子排比」的，它有時是單句式的排比，即以二或三個以上結構相似的單句並列，以表達同一範疇的意思，例如：

> 蕉以懷素為知己，瓜以劭平為知己，雞以處宗為知己，鵝以右軍為知己，鼓以禰衡為知己，琵琶以明妃為知己。（節錄第 4 則）

> 為月憂雲，為書憂蠹，為花憂風雨，為才子佳人憂命薄，真是菩薩心腸。（第 5 則）

第一則中誰為誰的知己，以連續整齊的句子做了鋪陳；第二則中有四句同類型但字數不必相同的排比，表露作者的真誠「菩薩心」。其他諸如此類之全部或局部排比尚有六十處左右，顯見張潮在此一文句展現，多有著墨。當然也有以「複句排比」的，它必須以三個以上的句組

（兩個以上的句子爲一組），方構成複句排比：

> 讀經宜冬，其神專也；讀史宜夏，其時久也；讀諸子宜秋，其致
> 別也；讀諸集宜春，其機暢也。（第1則）

> 對淵博友，如讀異書；對風雅友，如讀名人詩文；對謹飭友，如
> 讀聖賢經傳；對滑稽友，如閱傳奇小說。（第12則）

張潮將讀書之道與交友之理融合，第一則因書不同而有不同的閱讀方法，以四組做了事半功倍的安排；第二則因人不同而有了不同的品味，作者也以四組爲排比，可謂獨特。其他此類者猶有二十多處，均是反覆咀嚼的妙意所在。

（四）層遞

以層遞分析《幽夢影》，是十分有趣的。漸層是一種比例的秩序。色彩濃淡可以有漸層，事物大小可以有層遞，距離遠近可以有層次，高矮之間也可以從高到低或從低到高，因此層遞是普遍存在生活周遭的。

以下將區分「遞進」與「遞降」兩種，加以了解：

> 當春秋之季，曾一識西施否？當典午之時，曾一看衛玠否？當義
> 熙之世，曾一醉淵明否？當天寶之代，曾一覯太真否？當元豐之
> 朝，曾一晤東坡否？（節錄第108則）

> 如何是獨樂樂？曰鼓琴；如何是與人樂樂？曰弈棋；如何是與眾
> 樂樂？曰馬弔。（第193則）

第一則乃是將時間作爲遞進的準則，而第二則是以人數的遞增做延續。其他遞進之例仍有許多，有的是依四季推展，有的依據年紀大小遞增。

至於遞降的例子則有：

> 而友之中又當以能詩爲第一，能談次之，能畫次之，能歌又次之，解觴政者又次之。（節錄第 212 則）

文中遞降之意十分明顯，而諸如此類尚有 144、199 等則中，全部或局部也是如此安排。

（五）回文

由於《幽夢影》的形式修辭以「排比」、「對偶」居多，相對也造成「回文」的產生。回文在文學作品中是一個既特殊又令人回味無窮的辭格，如《論語・爲政》：「學而不思則罔，思而不學則殆。」[16] 又如《論語・子路》：「孔子曰：『吾黨之直者異於是，父爲子隱，子爲父隱。』」[17] 皆是回文的運用。其他不管是詩詞曲之中，或是現代散文與新詩，也都能有回文的巧妙天趣。

在《幽夢影》中的回文，有時是四句一組的：

> 富貴而勞悴，不若安閒之貧賤；貧賤而驕傲，不若謙恭之富貴。（第 50 則）

---

[16] 《四書集注》甲種本，上論，卷 1，〈爲政第二〉，頁 10。
[17] 《四書集注》甲種本，下論，卷 7，〈子路第十三〉，頁 91。

　　武人不苟戰，是為武中之文；文人不迂腐，是為文中之武。（第
64 則）

　　前後的連綿對照，既能凸顯主題，且能將所不贊成的趨向更直接加
以表達。而有時也會以「兩句一組」的模式，如：

　　文章是案頭之山水，山水是地上之文章。（第 97 則）

　　文章是有字句之錦繡，錦繡是無字句之文章。（節錄第 110 則）

　　酒可以當茶，茶不可以當酒；酒可以當茶，茶不可以當酒。（節
錄第 127 則）

　　詞序繚繞往復，趣味天然衍生，張潮利用此番玄妙旋逆之法，的確
使書中的情意更令人低迴吟詠的。

（六）錯綜

　　「錯綜格」是屬於較為複雜的辭格，依據黃慶萱談到：「凡把形式
整齊的辭格，如類疊、對偶、排比、層遞等，故意抽換詞彙、交蹉語次、
伸縮文句、變化句式，使其形式參差，詞彙別異，稱之。」[18] 顯見《幽
夢影》中出現此類安排時，常常是希望產生變化，避免單調乏味。而《幽
夢影》中的錯綜格呈現有以下幾項，其一「抽換詞面」：

　　萬事可忘，難忘者名心一段；千般易淡，未淡者美酒三杯。（第

---

[18] 《修辭學》，頁 527。

104 則）

菱荷可食，而亦可衣；金石可器，而亦可服。（第 105 則）

第一則中「可忘」→「易淡」，「難忘者」→「未淡者」；第二則「可衣」→「可服」。或有以「交蹉語次」的：

莊周夢為蝴蝶，莊周之幸也；蝴蝶夢為莊周，蝴蝶之不幸也。（第 21 則）

「莊周與蝴蝶」參差交錯，形成靜中有動之美。又如以「伸縮文意」方式：

因雪想高士，因花想美人，因酒想俠客，因月想好友，因山水想得意詩文。（第 40 則）

此則最後一句加長，於是參差伸縮其意，其他類此之例尚多。而或以「變化句式」呈現，如：

目不能辨美惡，耳不能判清濁，鼻不能別香臭。至若味之甘苦，則不第知之，且能取之、棄之。（節錄第 117 則）

句中「否定、肯定」交蹉，將其能與不能之功能，加以融會，使得是非之間，有了更明確的指標。

（七）頂真

　　雖然《幽夢影》中的頂真並不多見，但由於頂真的使用是可以使文學作品更具趣味性的；而若巧妙的運用，易使得它發揮橋樑般推移與連結的功能。有了它，和諧是必然的；有了它，緊湊也是具足的。是以仍列舉幾例嘗試探索：

> 富貴而勞悴，不若安閒之貧賤；貧賤而驕傲，不若謙恭之富貴。（第 50 則）

> 一介之士，必有密友。密友不必定是刎頸之交。（節錄第 102 則）

> 地輪之下為水輪，水輪之下為風輪，風輪之下為空輪。（節錄第 202 則）

　　第一則有「貧賤」，第二則有「密友」，第三則有「水輪」、「風輪」各爲其頂真。其遞接意韻，自然彰顯；情思湧動，十分清楚，特別能顯示出張潮構思之精妙。

第二節　表意或形式的兼格修辭

　　《幽夢影》全文的修辭特色，除了上一節介紹過，擁有眾多豐富多姿的單一辭格之外；更在於每則幾乎是兩種或兩種以上的修辭格所呈現的修辭技巧，因此本節將逐一按照兼含辭格數量多寡，依序做簡單說明。

一、兼含兩種辭格

（一）以排比為主的架構

《幽夢影》的句式以排比為主架構，在前文已提及。而這當中或以「排比與類疊」配合，例如：

> 賞花宜對佳人，醉月宜對韻人，映雪宜對高人。（第11則）

句中就其整體形式而言，是十分完整的排比；就其部分形式而言，「宜對」一詞，連用三次，是類疊，平添許多和諧。或有以「排比與摹寫」的處理：

> 景有言之極幽，而實蕭索者，煙雨也；境有言之極雅，而實難堪者，貧病也；聲有言之極韻，而實粗鄙者，賣花聲也。（第23則）

以整體形式設計而言，是排比；以其表意內容來說，既有視覺也有聽覺之描摹。或有時會出現「排比與轉品」的實例：

> 延名師訓子弟，入名山習舉業，丐名士代捉刀，三者都無是處。（第70則）

文中前三句形成單句排比形式，而其中的「丐」又為名詞轉「動詞」使用。當然也會出現「排比與錯綜」的形式：

> 月下聽禪，旨趣益遠；月下說劍，肝膽益真；月下論詩，風致益

幽；月下對美人，情意益篤。（第 83 則）

整體形式是排比，而「月下對美人」則有錯綜安排，多出字數。如此可避免單調或疲乏的弊端產生。

（二）以對偶為主的架構

《幽夢影》整體形式以對偶為主架構也十分眾多，最常有的是「對偶與引用」的組合：

文人講武事，大都紙上談兵；武將論文章，半屬道聽塗說。（第 65 則）

就其整體形式而論，乃採隔句對；若就「紙上談兵」、「道聽塗說」二詞，便是引用辭格中的暗用。或者採取「對偶與回文」的安排：

富貴而勞悴，不若安閒之貧賤；貧賤而驕傲，不若謙恭之富貴。（第 50 則）

就其整體形式而言，前後「富貴」中找到回文技巧，凸顯富貴的基本要義；其次，也呈現隔句對的基本對偶形態，使富貴與貧賤於其間有了對照。

至於其他一類如層遞與類疊的：「一月之計種蕉，一歲之計種竹，十年之計種柳，百年之計種松。」（第 85 則）或者「映襯與類疊」的也不在少數。

二、兼含三種辭格

（一）以排比為主的架構

有時《幽夢影》中也以兼有三種辭格加以排列，而其主要的整體要素仍以排比為主，有時參雜「排比、錯綜、層遞」一起，例如：

> 讀經宜冬，其神專也；讀史宜夏，其時久也；讀諸子宜秋，其致別也；讀諸集宜春，其機暢也。（第1則）

以整體形式而言，具備有四組排比、「春夏秋冬」的時序層遞；以部分形式而言「讀諸子、讀諸集」又為錯綜當中的伸縮文句。

此外也會有「排比、類疊、錯綜」的實例：

> 花不可以無蝶，山不可以無泉，石不可以無苔，水不可以無藻，喬木不可以無藤蘿，人不可以無癖。（第6則）

整體形式有六句排比，「喬木不可以無藤蘿」為錯綜之伸縮文句，至於「不可以」、「無」乃為類疊。或者是以「排比、類疊、層遞」的運用：

> 一恨書囊易蛀，二恨夏夜有蚊，三恨月臺易漏，四恨菊葉多焦，五恨松多大蟻，六恨竹多落葉，七恨桂荷易謝，八恨薜蘿藏虺，九恨架花生刺，十恨河豚多毒。（第27則）

整體形式有十句排比，有「一至十」的層遞，更有「恨」字的類疊，延續綿長之思，真足以烙印久遠而不忘。而「排比、類疊、譬喻」的組合也是時有的：

《水滸傳》是一部怒書，《西遊記》是一部悟書，《金瓶梅》是
一部哀書。（第99則）

此則中整體形式有三句排比，有三「是」字爲類疊；至於在整體表
意方面，則又是「隱喻」之呈現。

其他以「排比、類疊、轉化」、「排比、摹寫、錯綜」、「排比、
映襯、對偶」、「排比、頂真、引用」等形式也經常出現。

（二）以對偶為主的架構

能以對偶爲主要基準，又能兼具其他兩種辭格，這對張潮而言其實
是屢見不鮮的。茲列舉以下幾例，其一是以「對偶、映襯、類疊」的安
排：

入世須學東方曼倩，出世須學佛印了元。（第10則）

少年人須有老成之識見，老成人須有少年之襟懷。（第15則）

以上兩則皆是整體形式屬於對偶之「單句對」，並具備了前後句「須」
之類疊，而其表意方面則是對襯，有其對比的建議在。其二是以「對偶、
映襯、隱喻」的處理：

蝶為才子之化身，花乃美人之別號。（第39則）

整體形式是對偶，而在表意上，「爲、乃」又是隱喻之安排，「才子」、
「佳人」則是不同的對襯。其三是「對偶、映襯、誇飾」的模式：

　　著得一部新書，便是千秋大業；注得一部古書，允為萬世宏功。
　　（第 69 則）

　　整體形式屬於對偶中的「隔句對」，而在表意方面，前後的「新、古」成為對襯，顯見新與舊皆有其重要性，至於有多重要，「千秋、萬世」誇飾之語便將其烘托而出，可謂一大震撼。
　　或者如「對偶、借代、譬喻」的含蘊：

　　胸藏邱壑，城市不異山林；興寄煙霞，閻浮有如蓬島。（第 151
　　則）

　　整體形式為對偶中的隔句對。而就表意看，「閻浮」、「蓬島」是借代，「有如……」則是譬喻中之明喻。諸如此類的三種辭格匯聚，尚有多種，洵為書中的巧思。

三、兼含四種辭格

（一）以排比為主的架構

　　這仍是以排比為主，涵蓋四種辭格，張潮均能妥適的彙整素材。而由於兼格較多，所以其繁密性也就相對增加。像以「排比、類疊、引用、誇飾」的此例，就是密而翔實的：

　　天下有一人知己，可以不恨。不獨人也，物亦有之。如菊以淵明
　　為知己，梅以和靖為知己，竹以子猷為知己，蓮以濂溪為知己，
　　桃以避秦人為知己，杏以董奉為知己，石以米顛為知己，荔枝以
　　太真為知己，茶以盧仝、陸羽為知己，香草以靈均為知己，蓴鱸

> 以季鷹為知己,蕉以懷素為知己,瓜以邵平為知己,雞以處宗為
> 知己,鵝以右軍為知己,鼓以禰衡為知己,琵琶以明妃為知己。
> 一與之訂,千秋不移,若松之于秦始,鶴之于衛懿,正所謂不可
> 與作緣者也。(第4則)

　　就形式而言,自「如菊以淵明為知己」至「琵琶以明妃為知己」是排比;其次,「為知己」則為類疊。而在表意方面,這一些故事中的人與物的互動便是引用辭格;而「一與之訂,千秋不移」則又是誇大的描述。又如以「排比、類疊、錯綜、轉品」搭配的:

> 為月憂雲,為書憂蠹,為花憂風雨,為才子佳人憂命薄,真是菩
> 薩心腸。(第5則)

　　整體形式有四句排比,「為」、「憂」為類疊,「為才子佳人憂命薄」是錯綜的伸縮文身;至於部分表意,「菩薩」則是轉品運用。的確也發展出多樣的空間。而有時將「排比、類疊、層遞、借代」連結:

> 一歲諸節,以上元為第一,中秋次之,五日、九日又次之。(第
> 42則)

　　整體形式有三句排比,「上元、中秋、五日、九日」為時間遞進,而「次之」又是類疊。至於在表意方面,「五日」為端午、「九日」為重九之借代。

　　當然也會有「排比、對偶、類疊、錯綜」的機會:

古之不傳于今者，嘯也、劍術也、彈棋也、打毬也。（第44則）

就其形式而言，有四句排比，「也」字是類疊，第一句「古今」為句中對，而「嘯也、劍術也、彈棋也、打毬也」則是錯綜的伸縮文句。

（二）以對偶為主架構

以對偶形式為主架構，可能出現的幾種情形，如以「對偶、映襯、設問、轉化」：

凡花色之嬌媚者，多不甚香；瓣之千層者，多不結實；甚矣，全才之難也，兼之者，其為蓮乎？（第68則）

就其形式來看，「凡花色之嬌媚者，多不甚香；瓣之千層者，多不結實」是對偶；就其表意，「凡花色之嬌媚者，多不甚香；瓣之千層者，多不結實」又為映襯，而「嬌媚」、「結實」則為擬人之轉化運用，至於「甚矣，全才之難也，兼之者，其為蓮乎？」則是設問之有問有答，對於蓮充滿肯定。或者改以「對偶、類疊、映襯、借代」的安排：

律己宜帶秋氣，處世宜帶春氣。（第80則）

整體形式是對偶，「宜帶」是類疊。就其表意，「律己」、「處世」是映襯，「秋氣」、「春氣」則又是不同胸懷的借代。可見得紙短情長，小小幾句話，張潮都能容納如此多的特質。除此還有「對偶、類疊、映襯、設問」的互動：

何謂善人？無損於世者則謂之善人；何謂惡人？有害于世者則謂

之惡人。（第94則）

　　就整體形式而言，是對偶中的隔句對；「善人」、「惡人」各爲類疊。就其表意論，「何謂善人？無損於世者則謂之善人；何謂惡人？有害于世者則謂之惡人。」全文有善惡之對照；而有問有答又是設問之呈現。

　　要真正詳述《幽夢影》書中的兼格修辭，多達「七種」之多，此處僅以兼含四種辭格做介紹。

　　另外值得一提的是，曾以《幽夢影》的修辭藝術爲碩士論文主題的黃文星，則將書中內容分爲四章，介紹十七種辭格。[19] 不過該論文僅就單一辭格說明，未就其「兼格辭格」有所著墨！因此本著特將單一基本辭格做介紹，再掌握整體兼格修辭之辨析，逐使《幽夢影》所處的大環境之語言特質，與個別所擁有的修辭之美、慧眼靈巧之思，一一呈現。

---

[19] 黃文星：《《幽夢影》修辭藝術研究》（嘉義：南華大學文學研究所碩士論文，2002 年）

第六章《幽夢影》靈動活潑的藝術特色

在本著第四章曾談到，作品之所以動人，除了要有豐富的內容，還要有優美的修辭技巧，以及生動的藝術特色。因此本章緊接著要敘說探討的是內容中所表現的藝術風貌與技巧。

而要營造獨特的藝術技巧與風格，必須透過作者主觀的心境投射，客觀的人事物與之相融，並經由作者的生活觀察體驗，方足以有所凝結烘托而出。在《莊子‧秋水》便有一則類此的故事：

> 莊子與惠子遊於濠梁之上。莊子曰：「儵魚出遊從容，是魚樂也。」
> 惠子曰：「子非魚，安知魚之樂？」莊子曰：「子非我，安知我不
> 知魚之樂。」[1]

這種知覺外物、推己及物的心得，或喜或悲，形諸文字筆墨，遂成為美感經驗，更成為文學藝術。朱光潛也提出了「宇宙的人情化」[2]之見解，他認為：「人因為有移情作用，然後本來只有物理的東西可具人情，本來無生氣的東西可有生氣，而美感經驗就在人的情趣和物的姿態的往復迴流中完成。」因此他主張：「欲構成美感，首先必須是物的形相是人的情趣的返照，深人所見於物者亦深，淺人所見於物者亦淺。其次是人不但移情於物，還要吸收物的姿態於自我，還要不知不覺的摹仿物的形相。心裡印著美的意象，常受美的意象浸潤，自然也可以少存些

---

[1] 引自《景印文淵閣四庫全書》（台北：台灣商務印書館，1986年），子部362，
　道家類，卷6，頁（1056）-88。
[2] 《談美》（台北：漢京文化事業公司，1982年），頁22-24。

濁念。」

有了這些基本美感的激盪，意象的聯想，本章逐將《幽夢影》細分為：第一節，精擅審美的生活情趣；第二節，展現凝煉的形式藝術；第三節，波湧幽微的內在感懷等三節，加以分析其藝術特色與手法，希望由此能進一步更深入此書的核心蘊藉。

第一節　精擅審美的生活情趣

《幽夢影》一書，絕大部分是繼承了晚明文人所嚮往的清閒雅適、玩賞遊逸的觀照況味；並結合清初的現實生活經驗、挫敗的仕途感慨下，所完成的作品。

有了前人的閒賞經驗做依歸，而其藝術技巧審美的手法如何，值得探索。誠如探討內容時，其內容是豐富多樣的；雖然多得不勝枚舉，但仍有其固定的模式存在。因此對於審美手法做一剖析，便能進階了解其藝術之美的外在與內涵。以下茲分為四個層面，加以說明。

一、運用「比較」法，賞鑑人與物的等級

凡事有好有壞，有高就有低下，而這些均會藉由比較而明顯看出，在文中張潮經由比較的技巧，逐將美的感受自然湧現。

在比較手法中其一便是採取「分品」方式。所謂的分品，乃是以人或物之等級高低做一比較；這當中主導者是品評之人或是作者本身。在袁宏道《瓶史‧品第》中就有實例：「榴花深紅重臺為上，蓮花碧臺錦邊為上，木樨毬子早黃為上，菊以諸色鶴翎西施剪絨為上，臘梅磬口香

為上，諸花皆名品。」[3] 這些以古式典型作為價值判斷，就其個別列出上品，則不合於者便是次品，此是分品手法之一；當然不同的花也可以互相較量，以辨高下。而《幽夢影》裡品評者或是作者均可能成為主導者，此處僅以張潮所寫的為探討重心。書中藉由分品展現在「人的方面」則有：

> 無善無惡是聖人（如帝力何有于我、殺之而不怨，利之而不庸、以直報怨，以德報德、一介不與，一介不取之類），善多惡少是賢者（如顏回不貳過，有不善未嘗不知、子路，人告有過則喜之類）。（節錄第 3 則）

> 何謂善人？無損於世者則謂之善人；何謂惡人？有害于世者則謂之惡人。（第 94 則）

> 不待教而為善為惡者，胎生也；必待教而後為善為惡者，卵生也；偶因一事之感觸，而突然為善為惡者，濕生也（如周處戴淵之改過，李懷光反叛之類）；前後判若兩截，究非一日之故者，化生也（如唐元宗衛武公之類）。（第 194 則）

這三則均針對人品之好壞優劣以及善惡，做了最實際的區分與解釋，如第二則，無損於世為善人，有害於世稱惡人，二分法之區別單純明確。甚至第三則中以「胎生」、「卵生」、「濕生」、「化生」之等級將人

---

[3] 選自《叢書集成初編》（北京：中華書局，1985 年），第 1559 冊，卷下 2，頁 5。

加以分類，更是流露貶抑之情。另一方面則是表現在「物的分品」部分，
物的分品張潮最常將個別或是多數中的上下品之區分做明顯區隔，例
如：

> 願在木而為樗（不才終其天年），願在草而為蓍（前知），願在
> 鳥而為鷗（忘機），願在獸而為鷹（觸邪），願在蟲而為蝶（花
> 間栩栩），願在魚而為鯤（逍遙遊）。（第 18 則）

> 笋為蔬中尤物，荔枝為果中尤物，蟹為水族中尤物，酒為飲食中
> 尤物，月為天文中尤物，西湖為山水中尤物。（節錄第 172 則）

由這兩則可以看出，萬中選一，簡中「尤物」做代稱，不僅使許多
物類黯然失色，也使得最佳上品經由作者的見解逐一排開，可謂氣勢浩
蕩。又如：

> 鳥聲之最佳者，畫眉第一，黃鸝、百舌次之。然黃鸝、百舌，世
> 未有籠而畜之者，其殆高士之儔，可聞而不可屈者耶。（第 144
> 則）

將鳥類中聲音清脆悅耳的畫眉凸顯而出；而對於黃鸝又比之高士，
亦顯其品格暗喻之神往。當然也會有少數將人與物做出分品比較的：

> 美人之勝於花者，解語也；花之勝於美人者，生香也。二者不可
> 得兼，舍生香而取解語者也。（第 33 則）

　　將人之中的美人，物之中的花，二者一經比較，也能互別苗頭，顯見齊物之美。不過人之常情，張潮還是先有美人的好。

　　除了分品，文中的比較模式也會利用「別類」方式發揮。其一透過「人的別類」，例如：

> 所謂美人者，以花為貌，以鳥為聲，以月為神，以柳為態，以玉為骨，以冰雪為膚，以秋水為姿，以詩詞為心。（節錄第 135 則）

　　作者於此提出對於美人審美的架構，不只外貌的神、韻要求，更有內在的情態風度、充實豐美的敘述，的確為美人與一般人之條件，有了簡潔分類。而在「物的別類」則有：

> 梅令人高，蘭令人幽，菊令人野，蓮令人淡，春海棠令人豔，牡丹令人豪，蕉與竹令人韻，秋海棠令人媚，松令人逸，桐令人清，柳令人感。（第 131 則）

　　這又是移情作用的象徵，經由別類的方式，不僅對物做出不同效應的分類，也使人的「高」、「幽」、「野」等有了生命丰姿的區別。然友好的體驗也會有不佳的感受：

> 一恨書囊易蛀，二恨夏夜有蚊，三恨月臺易漏，四恨菊葉多焦，五恨松多大蟻，六恨竹多落葉，七恨桂荷易謝，八恨薜蘿藏虺，九恨架花生刺，十恨河豚多毒。（第 27 則）

　　文中是敘述作者的遺憾所在，但從中可以明顯看到，其實是指各種

物類之中，均有其缺失，而這些缺失，也足以提供分門別類時的依據。

二、掌握「合宜」之旨，體會妙趣

所謂合宜，乃是指何時、何地、何人、何事等爲宜，以許次紓《茶疏》爲例：「清明穀雨摘茶之候也。清明太早立夏太遲，穀雨前後其時適中，若肯再遲一二日，期待其氣力完足，香烈尤倍，易於收藏。」[4] 顯見基於植物的生態，以及考量何時採收爲宜，於實用之中兼具美學欣賞之理。而《幽夢影》在這方面則是人情之宜多於物之宜，茲列舉其中人情部分於下，其一則有展現屬於「情境之宜」的一面的：

> 經、傳宜獨坐讀，史、鑑宜與友共讀。（第 2 則）

此處張潮便說出單獨與共處之不同感受，之於讀書也不例外。藉由如此相互配稱之情境，可知作者想進一步將整體美意，晉升爲審美之對象。又如：

> 賞花宜對佳人，醉月宜對韻人，映雪宜對高人。（第 11 則）

> 春雨宜讀書，夏雨宜弈棋，秋雨宜檢藏，冬雨宜飲酒。（第 86 則）

不同的時間，不同的季節，烘托出絕佳的美感經驗，令人嚮慕。以

---

[4] 選自《四庫全書存目叢書》（台南：莊嚴文化事業公司，1995 年），子部，79 冊，頁 781。

第一則爲例，雪之潔白與人之高潔相互映照，遂使心境之投射，有直接怦動的心靈之美。而也可能是「處世之宜」的啓發：

> 律己宜帶秋氣，處世宜帶春氣。（第 80 則）

> 厭催租之敗意，亟宜早早完糧。（節錄第 81 則）

修身養性，待人處世，如何得宜，是一門大學問。而作者在此以春秋之氣來做建議，的確有別於一般性之教條，而更有幽美之思。當人們的聽覺視覺有所觸動時，則「感官之宜」的看法就會層層湧現：

> 花之宜於目，而復宜於鼻者：梅也、菊也、蘭也、水仙也、珠蘭也、蓮也。止宜於鼻者：櫞也、桂也、瑞香也、梔子也、茉莉也、木香也、玫瑰也、臘梅也，餘則皆宜于目者也。（第 56 則）

> 宜於耳復宜於目者，彈琴也，吹簫也；宜於耳不宜於目者，吹笙也，攧管也。（第 106 則）

以上兩則既有視覺、嗅覺又有聽覺之感官享受，而其中涵蓋了一些「不宜者」。以第二則爲例，彈琴吹簫其聲令人陶醉，而其悠閒之態也令人沉迷；但對於其他樂器，則以視覺不佳而加以排斥，是以這些均屬於個人的也是主觀的美感投射。再者之於張潮，「寫作之宜」的意見是不可少的，他說：

> 作文之法，意之曲折者，宜寫之以顯淺之詞；理之顯淺者，宜運

之以曲折之筆；題之熟者，參之以新奇之想；題之庸者，深之以
關繫之論。（節錄第 171 則）

對於寫作，每個人的見解不同，這裡所提出的則是「對稱」理念。
如「意之曲折者」則運用淺顯之詞用以達意，雙管齊下，更臻完善。而
或許「季節之宜」對於作家是十分重要的，因爲張潮認爲：

上元須酌豪友，端午須酌麗友，七夕須酌韻友，中秋須酌淡友，
重九須酌逸友。（第 8 則）

讀經宜冬，其神專也；讀史宜夏，其時久也；讀諸子宜秋，其致
別也；讀諸集宜春，其機暢也。（第 1 則）

春聽鳥聲，夏聽蟬聲，秋聽蟲聲，冬聽雪聲。（節錄第 7 則）

春夏秋冬，各有所宜。把心情轉換就可獲得煥然一新的體驗。這三
則生活體驗，將身心靈做極致的舒放，也做了不同的建議，著實耐人尋
味。當然走訪探尋之際，對於「地點之宜」的選擇更是文人雅士所不能
缺少的：

白晝聽棋聲，月下聽簫聲，山中聽松聲。（節錄第 7 則）

樓上看山，城頭看雪，燈前看月，舟中看霞，月下看美人，另是
一番情境。（第 28 則）

因為時序轉移，而有不同的景象，因而使人有了不同的心情；因為地點不一，而有了另一番審視角度，其交織的結果，遂讓適合的季節與最好的地點，有了最佳的展現，擷取出人意料之外的美的斬獲。

三、刻鏤曲折，移情往復的「換位」之法

前言中曾提到朱光潛的「宇宙的人情化」，它也就是「移情作用」的發揮。譬如聽音樂，聽到某些樂曲，覺得它是輕快，或者會覺得某些樂調感傷，這是心境的延伸、投射，使得物理有了人情，有了悲喜。而此處的「換位」之義，也正是善感之心境的移情往復。在《幽夢影》中經由換位常常能締造出無數令人神往的風釆：

> 為月憂雲，為書憂蠹，為花憂風雨，為才子佳人憂命薄，真是菩薩心腸。（第5則）

> 以愛花之心愛美人，則領略自饒別趣；以愛美人之心愛花，則護惜倍有深情。（第32則）

人與物的融合，情與境的互換，美人與花，才子與景，成了重要的審美焦點，而人與物也成了平等看待的細心對照。又如：

> 莊周夢為蝴蝶，莊周之幸也；蝴蝶夢為莊周，蝴蝶之不幸也。（第21則）

> 蝶為才子之化身，花乃美人之別號。（第39則）

　　既點化出張潮的觀察力，並從中感受因為換位得使才子之瀟灑與美人之雍容華貴，更有具象之美。而當觸景生情，則其心思不僅有移情更有聯想：

　　　　聞鵝聲如在白門，聞櫓聲如在三吳，聞灘聲如在湔江，聞贏馬項
　　　　下鈴鐸聲，如在長安道上。（第41則）

　　　　春雨如恩詔，夏雨如赦書，秋雨如輓歌。（第62則）

　　　　因雪想高士，因花想美人，因酒想俠客，因月想好友，因山水想
　　　　得意詩文。（第40則）

　　人的情性與物的意蘊浸濡，藉由距離足以造成美感，使物我兩忘中，有喜有苦。喜有喜的美，悲有悲的美，所喚起的時而豪邁時而文雅或時而悲苦，都足以為之沉醉。至於：

　　　　蟬為蟲中之夷、齊，蜂為蟲中之管、晏。（第182則）

　　　　妻子頗足累人，羨和靖梅妻鶴子；奴婢亦能供職，喜志和樵婢漁
　　　　奴。（第133則）

　　　　玉蘭，花中之伯夷也（高而且潔）；葵，花中之伊尹也（傾心向
　　　　日）；蓮，花中之柳下惠也（污泥不染）；鶴，鳥中之伯夷也（仙
　　　　品）；雞，鳥中之伊尹也（司晨）；鶯，鳥中之柳下惠也（求友）。
　　　　（節錄第213則）

草木鳥獸，蟲魚花樹，不單是林和靖與張志和喜愛，連張潮都是如此深愛。於是他的褒揚換成高貴的尊榮的交叉美感特質，物之地位遂形提升。

四、靈巧多變的「正反」觀察法

《幽夢影》中的正反，是「可與不可」，是「能與不能」，是「是或不是」，是「須或不須」，但終究「正面之可貴」才是最終目的。例如文中對於人的態度表現在正面肯定，就以「必須」的語氣做出說明：

> 入世須學東方曼倩，出世須學佛印了元。（第 10 則）

> 少年人須有老成之識見，老成人須有少年之襟懷。（第 15 則）

以第一則為例，表達出張潮數十年的人生體悟。誠如東方朔將入世視為出世，既能有規勸之實，又不至於招來殺身之禍，的確令人佩服，凡此均具有肯定之積極含義。而在物的方面有所堅持則以「可以」加以提列：

> 藝花可以邀蝶，景石可以邀雲，栽松可以邀風，貯水可以邀萍，築臺可以邀月，種蕉可以邀雨，植柳可以邀蟬。（第 22 則）

風吹松林、雨滴芭蕉、蟬鳴柳枝等各種充滿美的氛圍，不外乎物以類聚。而其詩情畫意的情境，當可為人人種何因得何果的修身正性之指針，也是生活中美的一種營造引領，是屬於正面的互動。

至於反面意見的呈現或是不認同時，則以「不」字道出心得，例如：

鏡不能自照，衡不能自權，劍不能自擊。（第 218 則）

人都有盲點，倘若能反躬自省，方不至於狂妄傲慢。又如：

花不可以無蝶，山不可以無泉，石不可以無苔，水不可以無藻，
喬木不可以無藤蘿。（節錄第 6 則）

其與「無竹使人俗」有異曲同工之妙，也將其反面之效果做了極佳
的暗示。但任何反面的效果，皆是令人傷感的，也是大家所不樂於見到
的。

當然出現「正反合併」時，張潮也有所呼應，將其有效烘托：

方外不必戒酒，但須戒俗；紅裳不必通文，但須得趣。（第 78
則）

藏書不難，能看為難；看書不難，能讀為難；讀書不難，能用為
難；能用不難，能記為難。（第 92 則）

正反之間，各有不同天地，有賴冰心一片。於是又有：

酒可好，不可罵座；色可好，不可傷生；財可好，不可昧心；氣
可好，不可越理。（第 119 則）

是物也好，是人也好，各有其必要的分際。也由此證明可與不可之
間有其界定，混淆二者是作者所難以接受的。

第二節　展現凝煉的形式藝術

文章的形式與內容是互爲表裡的，解析形式特色有助於使內容之美更爲搶眼。特別是《幽夢影》中諸多形式方面的美感能量，是塊值得挖掘的寶地，有賴從多元角度切入了解。

研究小品學的近代學者吳承學對於清言小品一類的形式有如下之見解：

> 清言在形式上與其他傳統散文文體有明顯的區別，它不是「文」而只是「言」，它並非文章，無須起承轉合、篇章法度，沒有集中的題目，沒有抒情的主題，既無需故事情節，也無需人物形象。它們往往只是片言隻語的隨感錄，但卻是深思熟慮的人生經驗或人生哲理的思考，短小簡約而風格高雅雋永。因此清言構思形式與詩歌更爲相近，可說是介乎詩歌散文之間，既是詩化的散文，也是散文化的詩歌……清言雖多偶句，但比較生活化，少用典故，流暢自由[5]。

而《幽夢影》之形式特質，可做如是觀。由於它的各則或各則之間沒有直接的起承轉合關係，內容多樣卻均是有感隨性而發，因此其外在形式也有其獨特價值。以下茲細分幾類加以敘述，並藉以了解其形式方面的藝術之美。

---

[5] 《旨永神遙明小品》（廣東：汕頭大學出版社，1997 年），頁 122-124。

一、自由別致的句式

清言小品不是採駢文句法，就是駢散兼用，甚或自由的對偶句與散體。而《幽夢影》中的句法也是自由成句，或為駢句或為散句或為駢散並用，抑或類似律詩、詞曲的句式來做偶句。其中以「對偶句」的形式而言：

> 武人不苟戰，是為武中之文；文人不迂腐，是為文中之武。（第64則）

> 著得一部新書，便是千秋大業；注得一部古書，允為萬世宏功。（第69則）

這兩則均以整齊的「對偶句式」呈現，代表著整齊穩重之美。特別是第一則裡，用詞淺顯易懂，通俗自然，但又能藉由回文與對偶的句式，將其意義凝聚相互對照，可謂架構出亦莊亦諧之美。或者會使用「偶句」的形式出現：

> 對淵博友，如讀異書；對風雅友，如讀名人詩文；對謹飭友，如讀聖賢經傳；對滑稽友，如閱傳奇小說。（第12則）

這一則共分為四組十句。既有駢偶之式，使得面對不同的朋友，其態度精簡表達，不必拖泥帶水；而且也因其偶句之式，有了更為具體的傳神詮釋。是以其句型實在穩健，談起道理來明確有力。

當然張潮也會以「散句」安排：

閱《水滸傳》，至魯達打鎮關西，武松打虎，因思人生必有一樁
極快意事，方不枉在生一場。即不能有其事，亦須著得一種得意
之書，庶幾無憾耳。（第141則）

園亭之妙在邱壑，布置不在雕繪瑣屑。往往見人家園亭，屋脊牆
頭，雕甄鏤瓦，非不窮極工巧，然未久即壞，壞後極難修葺，是
何如樸素之為佳乎？（第148則）

以第一則來說，其鋪排以隨性之語，相伴以散句方式，尤見自在無
礙。而第二則，呈現出樸素的審美情趣，這樣的觀點大可以如此層次清
楚且簡單的散式說明，不用刻意使用偶句安排。至於另一類則因內容需
求而採用「駢散或類似律詩、詞曲之句式」，以利更有效佐證，例如：

孔子生於東魯，東者生方，故禮、樂、文章，其道皆自無而有；
釋迦生於西方，西者死地，故受想行識，其教皆自有而無。（第
161則）

不待教而為善為惡者，胎生也；必待教而後為善為惡者，卵生也；
偶因一事之感觸，而突然為善為惡者，濕生也（如周處戴淵之改
過，李懷光反叛之類）；前後判若兩截，究非一日之故者，化生
也（如唐元宗衛武公之類）。（第194則）

這一類在書中也佔有不少的比重。以第三則為例，共有十句四組，
屬偶數；而其每一組中有的句子是奇有的是偶，可謂駢散融合。是以此
類的安排，非但有詩歌整飭之美，更有靈動的散文氣勢，令人折服。

二、淡而有味的詞語

明代文學思潮走向清新平易，使得用語也相對淺白，劉大杰就提到：

> 到了明朝，文人學士，才有意識的運用白話來寫小說，有意識的
> 來創作白話的文學……我們可以說，明朝是我國白話文學的成熟
> 時代[6]。

可見身處清代的張潮，其《幽夢影》又承繼晚明小品之風，為了要求真求善求實，因此在語言的使用上，就不一定得掉書袋，也不必大引典故；為了追求情、趣、韻之精神，在文字的採用方面，更不必刻意雕琢精心粉飾，見其本色才是最為珍貴。

首先可見的是「平易清新」的特色：

> 水之為聲有四：有瀑布聲，有流泉聲，有灘聲，有溝澮聲。風之
> 為聲有三，有松濤聲，有秋葉聲，有波浪聲。雨之為聲有二，有
> 梧葉荷葉上聲，有承簷溜竹筩中聲。（第207則）

> 黑與白交，黑能污白，白不能掩黑；香與臭混，臭能勝香，香不
> 能敵臭；此君子、小人相攻之大勢也。（第216則）

即便是句式整齊，但其文詞並非華美也非穠麗，而是簡單中蘊含道理，平易中充滿寫意。

或是進行「實用淺顯」的分享：

---

[6] 《中國文學發達史》（台北：台灣中華書局，1972年），頁935。

天下無書則已，有則必當讀；無酒則已，有則必當飲；無名山則已，有則必當遊；無花月則已，有則必當賞玩；無才子佳人則已，有則必當愛慕憐惜。（第166則）

觀手中便面，足以知其人之雅俗，足以識其人之交遊。（第174則）

痛可忍，而癢不可忍；苦可耐，而酸不可耐。（第185則）

以上三則，均與生活相關。第一則談的是遊賞交遊或讀書飲酒，淺顯而實在；第二則，和手相命理有所關聯，雖未深入，至少已具融入生活情境之實用要義；第三則，只是簡單幾句就將每個人的心情一湧而出，何嘗不是一種通俗之藝術特色所在。而《幽夢影》中的語言大抵均以以上兩類為主，並不刻意精工雕琢。

三、曼妙的節奏，活潑生動

文學作品有了節奏，便有了音樂美；有了節奏，就能產生心理上的和諧。李光連對於節奏的看法，則是將郁達夫與朱光潛的見解加以鎔鑄淬煉如下：

節奏是音樂上的術語。然而，節奏不為音樂所獨有。節奏是自然、社會中普遍存在的基本原則……一切藝術作品的節奏，其實都是宇宙萬物節律動盪的反射……什麼是理想的節奏？適合人的生理需求、使人能夠產生快感的和諧而有規律的運動便是理想的節奏；過強或過弱、過密或過疏、過高或過低等，就生不出理想的

節奏……因此和諧自然、協調勻稱是節奏的基本要素[7]。

其必然性與常態性，的確是文學作品中不可或缺的。而《幽夢影》中的節奏表現，當然意在引發藝術美感，而其主要以「音韻」與「音節」變化為重。在「音韻」變化方面，的確極具節奏美：

> 經、傳宜獨坐讀，史、鑑宜與友共讀。（第 2 則）

> 上元須酌豪友，端午須酌麗友，七夕須酌韻友，中秋須酌淡友，
> 重九須酌逸友。（第 8 則）

由於《幽夢影》中，句末之字詞有許多常以同一字詞出現，形同雙聲疊韻之重疊複沓，造成規律的迴環之美。以上則而言，前後句的「讀」字，其音韻雖同，但是清朗簡潔；下則以「友」重複，倍感溫潤，兩則的迴環之勢皆有一唱三嘆之姿。此外在音韻方面也以「抑揚」之姿呈現，語調具高低變化，平仄起伏錯落，如：

> 求知己於朋友易，求知己於妻妾難，求知己於君臣則尤難之難。
> （第 93 則）

> 萬事可忘，難忘者名心一段；千般易淡，未淡者美酒三杯。（第
> 104 則）

---

[7] 《散文技巧》（台北：洪葉文化事業公司，1996 年），頁 235-236。

以第一則為例，先以「易」後以兩「難」字出現，光透過音之變化便有了難上加難的感觸。而第二則，先以「忘、段、淡」同韻字表達，再以「杯」安排，格外凸顯最後一句之語意。以上兩則，其語音均是先抑後揚，先仄後平，可見最後一句語音上揚，更加強鏗鏘氣勢。

另外在「音節」變化上，長短快慢多所斟酌，也促使其節奏上更具美意。是以有時音節「長短一致」：

> 花不可以無蝶，山不可以無泉，石不可以無苔，水不可以無藻，
> 喬木不可以無藤蘿，人不可以無癖。（第6則）

句中依「花／不可以／無蝶」之模式切割成「一、三、二」之節奏。雖其中出現一句「喬木不可以無藤蘿」，但仍不至於影響其平和之氣。或有時以「先短後長」的音節：

> 山之光，水之聲，月之色，花之香，文人之韻致，美人之姿態，
> 皆無可名狀，無可執著，真足以攝召魂夢。（節錄第29則）

> 大家之文，吾愛之、慕之，吾願學之；名家之文，吾愛之、慕之，
> 吾不敢學之。學大家而不得，所謂刻鵠不成尚類鶩也；學名家而
> 不得，則是畫虎不成反類狗矣。（第73則）

第一則前四句以「三」獨立節奏，簡潔有力；接著均是「二、三」或「三、二、二」之長句節奏為主，使得文意先激昂後迴旋，格外迷人。第二則，前兩組「一、二」或「二」等輕快節奏，此後成了「二、四、三、一」等長句形式之延長節奏出現，可謂情緒先是快樂，而後則又是

沉思嘆惋做結。而一旦出現「先長後短」的安排時：

> 予嘗集諸法帖字為詩。字之不複而多者，莫善于《千字文》，然
> 詩家目前常用之字，猶苦其未備。如天文之煙、霞、風、雪，地
> 理之江、山、塘、岸，時令之春、宵、曉、暮，人物之翁、僧、
> 漁、樵，花木之花、柳、苔、萍，鳥獸之蜂、蝶、鶯、燕，宮室
> 之臺、檻、軒、窗，器用之舟、船、壺、杖，人事之夢、憶、愁、
> 恨，衣服之裳、袖、錦、綺，飲食之茶、漿、飲、酌，身體之鬢、
> 眉、韻、態，聲色之紅、綠、香、豔，文史之騷、賦、題、吟，
> 數目之一、三、雙、半，皆無其字。（節錄第 111 則）

全文雖冗長，但其音節是有規律的。先以長句敘述，而其每句音節切割也多；其後均是短音節，區隔後仍是急切，構成先疏朗後緊湊簡明之義理及節奏之美。

由此可知在音韻與音節的變化下，所產生的效果常是多姿多采的。

四、繽紛鮮明的意象，新穎獨特

何謂意象（image），依彭華生、王才禹等的釋義為：

> 是經過詩人審美經驗的篩選，再融入詩人的思想感情，用語言媒
> 介表現出來的物象，是主觀的意（情思）和客觀的象（景物）的
> 有機融合。「意象」在詩歌創作和鑑賞中起著非常重要的作用[8]。

---

[8] 《語言藝術分析》（台北：智慧大學有限公司，1999 年），頁 76。

　　《幽夢影》並不是詩歌，但其介乎詩與散文之間的形式，也可藉由意象的鑑賞加以解析。當然也因為它不是詩歌，是以在意象的呈現，就有別於詩歌的強烈或濃烈，豐富或繁複，反而更有其獨特之美意在。

　　而每一個作品所體現出的意象，所營造出的精妙之美，必定是不同的，想一窺《幽夢影》之意象表現，以下特分「就其感官方式訴諸之意象」與「依其組合方式產生之意象」等兩項做一介紹。

　　在「感官方式」上，不外乎是視覺之意象、聲音之意象、意覺之意象等，將其湧現於字裡行間。首先張潮藉由色彩加以區別，使有色彩與無色彩參差其中，更能看出全書深淺有致的應用特質。像以下幾例就是對於有色彩的揮灑：

　　鱗蟲中金魚，羽蟲中紫燕，可云物類神仙。（節錄第 9 則）

　　此則可以算是《幽夢影》中較為搶眼的色彩。其中的「金」、「紫」二色調配，均為高彩度之色系。金色亮眼具有高貴之質，紫色沉穩具有幽雅之勢；而金又偏向黃色系，因此黃與紫不僅對比且架構出神秘與莊重。黃永武對於色彩設計在意象表出的關係上便提及：「色彩學家又以為黃與紫並比時含有神秘性，則陳後山〈大行皇太后挽詞〉：『扶日行黃道，乘雲上紫微。』用黃紫二色作對，形容鬼神世界是合乎色彩學的。」[9] 如此一來，以「神仙」稱之，可謂名實合宜。又如：

　　黑與白交，黑能污白，白不能掩黑。（節錄第 216 則）

---

[9] 黃永武：《詩與美》（台北：洪範書店，1987 年），頁 27。

　　這一則屬於 216 則中的某一小節。其中的「白」色系輕盈，予人稚真純潔；而「黑」色暗沉，予人厚重的恐怖意象，是以白被黑所吞沒，在所難免。其明度一旦減低，混濁黝黯，寂寞與痛苦之意象遂因應而起。

　　而無色彩的意象別以爲單調乏味，試看張潮的巧妙：

　　賞花宜對佳人，醉月宜對韻人，映雪宜對高人。（第 11 則）

　　玩月之法，皎潔則宜仰觀，朦朧則宜俯視。（第 116 則）

　　此二則全以凸顯模糊之美，虛實之境。第一則中「醉月」可知絕非皎潔清亮，其色澤所呈現的意象自是溫柔有韻，「宜對韻人」的確迷人；而「映雪」則是光潔明晰，方可映照，是以意象則有高風亮節之姿，如此「宜對高人」真是高妙。至於第二則亦作如是觀。又如：

　　梅邊之石宜古，松下之石宜拙，竹傍之石宜瘦，盆內之石宜巧。（第 79 則）

　　這一些屬於無色彩的表現，著實令人更折服於張潮運用無色系之美。因爲不必假借任何色彩所象徵的意象呈現，而是一種內在嚮往渴望甚至是寄託的空靈意象，純粹是另一種超脫世俗凌駕物外的單純逸趣。

　　感官方面還有的是聽覺意象，當然就是經由聲音所架築而得的。在《幽夢影》中的聽覺意象，雖不多見，但其簡單形式，洵是清淺有味：

　　春聽鳥聲，夏聽蟬聲，秋聽蟲聲，冬聽雪聲；白晝聽棋聲，月下聽簫聲，山中聽松聲，水際聽欸乃聲。（節錄第 7 則）

　　此則屬於聲音的單一架構而成之意象。先有春夏秋冬四季的不同聆賞，春之氣候清爽配以清脆鳥聲，格外舒適，意象溫煦；夏之溽暑有高唱樹梢的蟬鳴，倍覺悠揚，意象清朗；秋氣蕭蕭，偶有蟲叫呦呦細碎，意象歡欣；冬來寒肅，聆聽雪聲，其意象自有寧靜丹白可言。至於白晝、月下、山中、水邊則其營造之境，就只有身臨其境方能享受了。凡此種種之意象皆是自然的是美的，可千萬別讓「惡少」斥辱，也不可被「悍妻」詬誶等人為破壞，否則將使畫面慘遭撕裂，留下憾恨。又如：

> 水之為聲有四：有瀑布聲，有流泉聲，有灘聲，有溝澮聲。風之為聲有三，有松濤聲，有秋葉聲，有波浪聲。雨之為聲有二，有梧葉荷葉上聲，有承簷溜竹箐中聲。（第 207 則）

　　此則也是經由聲音傳達所架構而成的意象表現。來自山中的水，其勢奔騰，其意象躍動有力；地上的水，其勢舒緩，意象或為幽咽或為清淺。風中的風，在林間，意象輕快；在海上，意象豪邁。從天而落的雨，其勢應為滂沱，但此處只是輕巧自在。這些均藉由聲音的傳遞，而興起了諸多畫面與旋律的共鳴意象。

　　感官意象中尚有意覺意象，正所謂文是象的來源，象是文的表徵，經由視覺聽覺嗅覺味覺等的融會，進而使人有了完整豐富的聯想，意會的感情投射，是多樣的也是意猶未盡的。[10] 試看以下此則：

> 山之光，水之聲，月之色，花之香，文人之韻致，美人之姿態，

---

[10] 《語言藝術分析》書中針對意象從感覺方式觀察，細分成：1.視覺意象，2.聽覺意象，3.膚覺意象，4.嗅覺意象，5.動覺意象，6.意覺意象等六類，但並未加以解釋其意義，此處乃筆者參考其分類，再自作詮釋。

> 皆無可名狀，無可執著，真足以攝召魂夢，顛倒情思。（第 29
> 則）

文中所呈現出的對象有人與物，而交融的有視覺的「山之光」、「月
之色」，有聽覺的「水之聲」，有嗅覺的「花之香」，更有「文人」、
「美人」之神韻風貌，這些均強調自然和諧的意象。當它藉由心領神會，
「攝召魂夢，顛倒情思」真可謂意覺的最佳感動，最好的想像。又如：

> 玉蘭，花中之伯夷也（高而且潔）；葵，花中之伊尹也（傾心向
> 日）；蓮，花中之柳下惠也（污泥不染）；鶴，鳥中之伯夷也（仙
> 品）；雞，鳥中之伊尹也（司晨）；鶯，鳥中之柳下惠也（求友）。
> （第 213 則）

此則中有植物有動物作為喻體。其中植物部分以蘭花為例，玉蘭花
既有視覺白色純淨效果，更有花香之嗅覺流露，而其交融的便是「高而
且潔的伯夷」意覺意象。至於動物方面，鶴向來是高壽之代表，鶴之形
鶴之色澤鶴之音鶴之罕見，均從多種鎔鑄而得的意覺下，有了「仙品」
之伯夷清高象徵。其他的雞、鶯等描繪亦是如此。

除了「感官方式」之外，也可就其「組合方式」加以探索《幽夢影》
中的意象。依據彭華生、王才禹等人提道：「作家、詩人憑主體的審美
經驗篩選出合適的意象，進而以一定的方式組合起來。不同意象的組合
方式，必然體現出詩人的情思與藝術風格。」[11] 其一是採用「拼合」的：

---

[11] 《語言藝術分析》，頁86。

> 動物中有三教焉：蛟龍、麟、鳳之屬，近于儒者也；猿、狐、鶴、
> 鹿之屬，近于仙者也；獅子、牝牛之屬，近於釋者也。植物中有
> 三教焉：竹、梧、蘭蕙之屬，近於儒者也；蟠、桃、老桂之屬，
> 近於仙者也；蓮花、蘆、菖之屬，近於釋者也。（第 201 則）

　　上列內容大分為動物與植物，又各細分為三類。以動物部分為例，其儒釋道各逐一列舉動物形象相仿者加以代表，龍、鳳之類象徵祥瑞尊貴，聯想到聖賢才德，而有儒者之比喻；鶴、鹿等具有長壽之質，與神仙傳說有所聯類，可為道教之比；獅子雄霸一方，不隨波逐流；被閹割的公牛，滅絕情欲，極似釋者。它是屬於廣泛的、多數的組合，之間不一定有所關聯的，加以拼合後又能構成一幅大而莊嚴的意象來。

　　其次是以「並置」的形式將同一意象聚集並存而成：

> 願在木而為樗（不才終其天年），願在草而為蓍（前知），願在
> 鳥而為鷗（忘機），願在獸而為麏（觸邪），願在蟲而為蝶（花
> 間栩栩），願在魚而為鯤（逍遙遊）。（第 18 則）

　　張潮在這一則中，不管是木、草、鳥、獸或是蟲、魚，皆以期盼願望來作表白。而其中的夾注，已經明確為其意象幫襯，令人可以明白道家無為逍遙的純善自然。又如：

> 花不可見其落，月不可見其沉，美人不可見其夭。（第 112 則）

　　雖然只有三句，但已張力十足。因為挫敗的意象無人喜歡，貧苦的意象沒人樂於接受，花捨不得其落，月捨不得其沉，美人怎能讓其夭折，

美的意象雖不一定是喜劇也可有悲劇,但理想的一種完美意象,仍是較使人嚮慕的。又有是以「對立」安排,這是屬於相反的、對比的:

> 經、傳宜獨坐讀,史、鑑宜與友共讀。(第2則)

張潮將相反對比的方式呈現,一人獨坐閱讀,有一人的體悟與喜悅;眾人一起閱讀切磋,有多人的互動心得的討論,各有各的奧妙在。

最後則有「迭加」的,使比喻性意象直接與被比擬的意象連接,彼此之間具有一種微妙關係。如:

> 春者天之本懷,秋者天之別調。(第16則)

春天是一年四季的開始,生機盎然,面目本然,興起天之本懷的聯想;秋天是豐收的季節,也是蕭瑟的開始,其矛盾相生,由「別調」牽繫,意象奇特。

第三節　波湧幽微的內在感懷

論及本節的內在情感之美主要是對照第二節形式之美而來。人皆有七情六欲,而這些無時不在生活當中翻騰奔流,有時悲泣有時歡喜,或有時悲喜交織,若將其抒發於文字,則便有陰柔、有陽剛;有細膩、有豪情壯志;有婉約、有瀟灑絕俗。而悸動處,有人慨嘆,有人落淚,有人黯然,更有人興起回應訴諸文字,共為天地一聲笑。

　　張潮與諸多評語者皆是性情中人，有其真實而豐富的情感生活，且能將其主觀的抒情與真實的生活相互融合，遂使《幽夢影》中投射無數歡喜悲傷的悸動。在《文心雕龍・情采》中曾論及：「故立文之道，其理有三：一曰形文，五色是也；二曰聲文，五音是也；三曰情文，五性是也。五色雜而成黼黻，五音比而成韶夏，五情（性）發而為辭章，神理之數也……故情者，文之經，辭者，理之緯；經正而後緯成，理定而後辭暢，此立文之本源也。」[12] 由此可知，優美的文章，除了形式之美，更要有發自內心的情感，方能打動人心。宋朝的女詞家李清照，在晚年淒苦之際曾寫下〈聲聲慢〉一詞：

　　　滿地黃花堆積，憔悴損，如今有誰堪摘？　守著窗兒，獨自怎生得黑？　梧桐更兼細雨，到黃昏，點點滴滴。　這次第，怎一個愁字了得！（節錄）[13]

　　只是幾句，便將家國破碎、他鄉漂泊孤單寂寥的淒涼之心境宣泄無遺，而這就是情之動人所在。

　　本節遂就其內涵分為：一、「曲則全」的自我感情投射，二、「真且誠」的尺牘書信往返等兩個單元，將張潮本身與其友人的感情抒發，做深入了解，用以敘述《幽夢影》中的情感表白。

一、「曲則全」的情感投射

　　張潮一生並不順遂（詳如本著第一章作家際遇），雖出身名門宦族，

---

[12] 周振甫注：《文心雕龍注釋・附今譯》（台北：里仁書局，1984 年），第 31，頁 599-600。

[13] 《全宋詞》（台北：世界書局，1984 年），第 2 冊，頁 931。

從十三歲便習八股之業，十五歲得以補博士弟子員，但終其一生止任過翰林孔目，並未達到父親的願望及自我的期許。且其際遇也隨著家道中落與康熙三十八年（西元 1699 年）被陷害銀鐺入獄，而導致每下愈況。鬱鬱寡歡的情緒與蒙受恥辱的憤怒，有時不免流露筆端，在其編選的《虞初新志‧劍俠傳》中的評語便寫道：「予嘗遇中山狼，恨今世無劍俠，一往愬之。」[14] 其心中的慨嘆，由此可見。

《老子》一書有言：「曲則全，枉則直，窪則盈，敝則新，少則得，多則惑。是以聖人抱一為天下式。不自見，故明；不自是，故彰；不自伐，故有功；不自矜，故長。古之所謂曲則全者，豈虛言哉！誠全而歸之。」[15] 宇宙之間的人情事物都在對立之中不斷變化，有不代表全部擁有，無也不代表真的一切真無，能從另一面去思索，「曲則全」仍是保有的仍是美的。

而人的一生，總有各種遭遇，以此看張潮的遭遇，更可得到印證。但有得有失，或許因為官運多舛，於是全心投入編書寫書的志業裡，消沉的他，從〈七療〉中並未真正重生真正療傷；也並沒有在《昭代叢書》等編選各家文章作品中，獲得更多喜樂，畢竟在其間只是為人作嫁，寫些小引寫些序跋或是題辭，而無完整的心得寄寓，是以真正獲得情感的綜合鎔鑄，就非《幽夢影》莫屬了！

《幽夢影》中的這種曲則全的感情投射，是從生活中提煉，去發掘其中之美；是從內心的感受去昇華，啟迪人們思考；也是從先聖先賢的智慧裡，獲得養分，提升人與人之間的心靈交流。而這些情懷抒發首要

---

[14] 清‧張潮輯：《虞初新志》，《古本小說集成》（上海：上海古籍出版社，1988 年），上冊，卷 9，頁 4 右。

[15] 引自《景印文淵閣四庫全書》，子部 361，道家類，卷上，益謙第二十二，頁（1055）-57。

表現於「寄情生活」一事上。

（一）寄情生活

對於生活情趣的描寫，有些是直接鋪敘，無法以理智思辨的模式加以印證；有些是紆徐曲折，迴旋反覆更具美意。於是平凡瑣碎成了高雅脫俗，尋常俗事轉而變成本然情趣。於是便「寄情於四季」：

> 讀經宜冬，其神專也；讀史宜夏，其時久也；讀諸子宜秋，其致別也；讀諸集宜春，其機暢也。（第 1 則）

> 春雨宜讀書，夏雨宜弈棋，秋雨宜檢藏，冬雨宜飲酒。（第 86 則）

藉由春夏秋冬季節變化，心情也跟著起了盪漾。讀書、寫字、檢藏、飲酒無一不是愉悅的。以前讀書爲的是科舉爲的是升官發財，而現在可以隨性自在跟著不同的氣候轉換，作不同的抉擇，其心境開闊可知。這不禁令人想起蘇軾〈定風波〉：「料峭春風吹酒醒，微冷。山頭斜照卻相迎，回首向來蕭瑟處，歸去，也無風雨也無晴。」[16] 一句「料峭春風吹酒醒」將人生的困厄由亂轉正，雖是微冷，但卻是面對真實人生後的心靈寫照。而這樣的外在情境融入生活，格外感受到季節的語言，舉凡山間的明月，江上的清風，無處不美。張潮在其中，找到了出口，獲得了抒發。

有時則寄情於「居室寫意」，因爲山川自然雖是令人嚮往，但歇息的居所更是心情的驛站；能從中建構一方閒適世界，方是性靈生活的故

---

[16]《全宋詞》，第一冊，頁288。

鄉，張潮遂於其中找到真意：

> 居城市中，當以畫幅當山水，以盆景當苑囿，以書籍當朋友。（第
> 211 則）

這一則可說是心理建設的首要要素，既然無法歸隱山林擺脫世俗痛處，那麼居室的畫幅便可以當山水，書籍便是宜古宜今的最佳朋友。明朝陳繼儒《巖棲幽事》中有語：「不能卜居名山，即於崗阜迴複及林水幽翳處闢地數畝，築室數楹。插槿作籬，編茅為亭。以一畝蔭竹樹，一畝栽花果，二畝種瓜菜。四壁清曠，空諸所有。畜山童灌園薙草，置二三胡床著亭下，挾書研以伴孤寂……」[17] 顯見生活中若可以費些巧思，自可得到無上的喜悅。更何況：

> 藝花可以邀蝶，累石可以邀雲，栽松可以邀風，貯水可以邀萍，
> 築臺可以邀月，種蕉可以邀雨，植柳可以邀蟬。（第 22 則）

一個「邀」字，的確將人為的經營和大自然的慕想和諧交織，原來在居室周遭，也能如此讓自然走進生活，讓愁苦拋諸腦後，並充滿盎然除卻悲情的寫意。

當然張潮也會以「閑賞美學」為寄情所在，做為另一扇窗的開啟：

> 能閑世人之所忙者，方能忙世人之所閑。（第 209 則）

---

[17] 引自《叢書集成初編》（北京：中華書局，1985 年），第 687 冊，頁 16（此據《寶顏堂秘笈》本排印）。

閒情是首要的條件，有錢無閒或無錢有閒又或無錢無閒，皆有待重新覺醒的。又言：

> 人莫樂於閒，非無所事事之謂也；閒則能讀書，閒則能遊名勝，閒則能交益友，閒則能飲酒，閒則能著書。（節錄第 96 則）

清淡雋永的韻味，悠然留存。摒棄塵俗，從內在的省思重新出發，則有得有失，有失方更能體悟所得之可貴。其逸趣將更爲撫慰熨貼心靈深處，並轉化成另一股新生的力量。

（二）直抒胸臆

情之真摯，就在其直抒胸臆！情之令人動容，就因其勾起普羅大眾的情緒！這些情緒或爲自身遭遇，或爲家事國事同仇敵愾，或只是芝麻綠豆般瑣碎小事；但均是情真意切的洋溢紙上的。張潮遭逢深閉冤苦之遭遇，有誰可訴？而「交遊莫救，左右親近，不爲一言。」[18] 不正是張潮內心最沉痛的寫照。是以張潮也將這股情緒這份心境，藉由筆端加以抒發。他感傷於：

> 天下器玩之類，其製日工，其價日賤，毋惑乎民之貧也。（第 60 則）

貧者日貧，富者愈富，富者依恃權力地位壓榨壓價，而貧者爲了生活不得不賤價拋售，著實令人爲之叫屈。想起自身家道中落，爲了編書也已囊篋蕭然，而不得不大力促銷四方奔走，內心的確有感而發。又如：

---

[18] 《文選‧附考異》，第 41 卷，司馬遷〈報任少卿書〉，頁 589。

清宵獨坐，邀月言愁；良夜孤眠，呼蛩語恨。（第 149 則）

鏡不幸而遇嫫母，硯不幸而遇俗子，劍不幸而遇庸將，皆無可奈何之事。（第 165 則）

人生有何值得感傷的，還不就是「不幸」二字！而感傷時誰來傾聽訴苦，似乎除了「邀月」、「呼蛩」一解愁緒，別無他法。有時他則是以「悲慨」道出心聲：

一介之士，必有密友。密友不必定是刎頸之交，大率雖千百里之遙，皆可相信，而不為浮言所動；聞有謗之者，即多方為之辯析而後已；事之宜行宜止者，代為籌畫決斷；或事當利害關頭，有所需而後濟者，即不必與聞，亦不慮其負我與否，竟為力承其事；此皆所謂密友也。（第 102 則）

文中的密友條件其實並不苛刻，重要的是能為朋友兩肋插刀義不容辭，「聞有謗之者，即多方為之辯析而後已；事之宜行宜止者，代為籌畫決斷；或事當利害關頭，有所需而後濟者，即不必與聞，亦不慮其負我與否，竟為力承其事」，便是其真正心聲！只可惜沒有「大率雖千百里之遙，皆可相信，而不為浮言所動」之人。或許這就是張潮悲慨之所在，因為他忽略了要達到以上的要求，若非「刎頸之交」又如何得以實現？而真正的文人、真正的雅士又有誰一掬同情淚：

予嘗欲建一無遮大會，一祭歷代才子，一祭歷代佳人，俟遇有真正高僧，即當為之。（第 197 則）

才子佳人多次在書中出現，尤見張潮對於他們的仰慕。而此則以「俟」字表達內心無限的期許，當然也正預想著「真正高僧」有朝一日必也為自己的不幸而超渡。只是才子無法用於世，佳人坎坷多薄命，古往今來，張潮內心的悲慨與寂寞，又豈是一個「祭」字所能解脫的。

（三）客觀議論

大體從主觀的角度談論事情，是嚴肅的也必須要有建言的；但若從客觀議論的角度談論文學、談論生活瑣事，則是一種理性的反省，一種自我情感的反射。畢竟寄情生活是唯美的，直抒胸臆更是脫韁肆放的感性做主，而張潮偶有一些理性思辨時或更能將自己引領到希望的山峰。例如：

> 酒可以當茶，茶不可以當酒；詩可以當文，文不可以當詩；曲可以當詞，詞不可以當曲；月可以當燈，燈不可以當月；筆可以當口，口不可以當筆；婢可以當奴，奴不可以當婢。（第 127 則）

有許多的人事物是無法越俎代庖的，更是無法張冠李戴。此則雖是生活中事，但卻是說明各有職分，不可魚目混珠。這就如同今日的版權之爭一樣，切不可似是而非。張潮在此處將定位之事，慎重以待。又如：

> 九世同居誠為盛事，然止當與割股、廬墓者作一例看，可以為難矣，不可以為法也，以其非中庸之道也。（第 170 則）

從本家唐朝的張公藝說起，以其「九世同居」之家庭結構為例做一分析，深深的感受到千古傳為美談其實並不合時宜。因為光持有表象，豈不就像寡婦頂著貞潔牌坊卻暗夜啜泣，備受煎熬。特別是「割股、廬

墓」守孝之爲亦不足法，與其矛盾叢生，還不如順其自然的好。另如：

> 古人四聲俱備，如「六」、「國」二字，皆入聲也。今梨園演蘇
> 秦劇，必讀「六」爲「溜」，讀「國」爲「鬼」，從無讀入聲者。
> 然考之《詩經》，如「良馬六之」、「無衣六兮」之類，皆不與
> 去聲協，而協祝告燠。「國」字皆不與上聲協，而協入陌質韻，
> 則是古人似亦有入聲。（節錄第 191 則）

張潮針對文字聲韻的專論，尚有多則，均針對前人某些不當之處加
以辨正，以免以訛傳訛。至於因時空不同想法應該也要有所轉變，是以
張潮又提出：

> 昔人欲以十年讀書，十年遊山，十年檢藏。予謂檢藏儘可不必十
> 年，只二、三載足矣。若讀書與遊山，雖或相倍蓰，恐亦不足以
> 償所願也，必也如黃九煙前輩之所云：「人生必三百歲而後可
> 乎？」（第 179 則）

古今對照，讀萬卷書不如行萬里路，應是最值得親身實踐的法門之
一；張潮不怕得罪老前輩，客觀表達所思所想。

二、書信酬酢，「真且誠」的心靈契合

有關《幽夢影》的成書方式、成書時間，向來並未有確切的答案！
但對於時間方面今人馮保善曾作了一些推測：「其撰作經過一些年頭，

是斷續寫成；約在三十歲便已動筆，在四十五歲前，已經完稿。」[19] 其彙整理由有：

1.《幽夢影》書中有余懷〈序〉及張惣〈跋〉。《虞初新志》所收錄〈張南村先生傳〉，載其「歲甲戌，年七十六終」，而甲戌年乃康熙三十三年（1694 年）；又《昭代叢書、甲集》中收錄的余懷〈硯林〉文後有張潮所寫的〈跋〉，其中可以了解余懷在康熙三十五年（1696 年）卒；且張〈跋〉與余〈序〉文中均評及全書，可見張潮在分別四十五、四十七歲時，書的確已殺青。

2.《幽夢影》中每則多有評語，考其評者，如黃周星卒於康熙十九年（1680 年）、吳嘉紀卒於康熙二十三年（1684 年）、曹溶卒於康熙二十四年（1685 年），可見在張潮三十歲左右，書已完成一大部分。

3.《幽夢影》有評語說：「此當是先生辛未年（1691 年）以前語。」又「余慕心齋者十年，今戊寅（1698 年）之冬，始得一面。」顯見康熙三十七年（1698 年）《幽夢影》尚未完稿。

馮氏列了一些創作過程的時間加以推敲，也以「序」、「跋」的時間而論，筆者按張潮五十歲時（1700 年），《幽夢影》應已成書無誤。

至於所謂「成書方式」，最主要是此書除了原文之外，尚有每則所

19　《新譯幽夢影》（台北：三民書局，2000 年），〈導讀〉，頁 3-4（其理由共有四點，由於雷同，故本文只列三點）。

加諸的諸多「評語」同時並存，這種成書方式在當時的確屬於創舉。

而這些評語的形成若在今日資訊發達，電子郵件等往返管道暢通下完成，其實並非難事；但在過去想要集結如此多方多元的意見，實在不是一件容易的事。也因此了解張潮之所以斷斷續續且耗費近二十年的光陰，其來有自。

筆者乃私揣昔日張潮在編選文章，加以羅列成書的模式，用以分析這些評語何以並列的方法，茲有以下兩項方式：

1.郵件往返

(1)張子有嗜痂之癖，時貽尺素，以所著書相質，如〈丹笈〉、〈筆歌〉……之類，橫披側出，卷頁等身[20]。

(2)吾友王子不菴所著小品甚富，書藏山中未隨行笈，寓漢皋時曾郵其書目以示[21]。

(3)四方著作家以麟鴻相托者，弃篋恒滿，于是予與張子復謀《檀几、二集》，蒐羅校定互相商榷，郵筒往復月必二三[22]。

(4)孔東塘戶部郵此帙于余，余初未見石村之畫，然竊有以之其畫

---

[20] 中華民國中央研究院傅斯年圖書館典藏線裝書，清‧張潮輯《昭代叢書、甲集》(世楷堂藏版)，〈尤序〉，頁 1 右。以下若有引用此書，則不再加注中研院字樣。

[21] 《昭代叢書、甲集》，〈選例〉，頁 2 左。

[22] 中華民國中央研究院傅斯年圖書館典藏線裝書，清‧張潮、王晫輯：《檀几叢書、二集》，〈王序〉，頁 1 右。以下若有引用此書，則不再加注中研院字樣。

之必佳。後石村寄余蘆汀密雪圖，荻葦蕭疏，江山幽寂[23]。

由上幾例可知，不管是各方來稿，以期名列叢書之列；或是奇文奇物共賞，聯絡感情；抑或是張潮毛遂自薦，期望前輩給予指正，均以書信往返，作為處理方式。

2.聚集討論

(1)甲戌初夏晤王君丹麓于西子湖頭，出所輯《檀几叢書》焚香共讀，予也載寶而歸，校梓行世，頗為同人所賞[24]。

(2)《湖海集》卷一，說道：「仲冬如皋冒辟疆、青若，泰州黃仙裳、交三……新安方寶臣、張山來、諧石……集廣陵邸齋聽雨分韻詩。」此會為尚任在江南的第一次盛會[25]。

好友見面，彼此互動交換心得，或是藉由參與結社或文人聚會時，溝通交流以獲得更多寶貴建議。而這樣的討論，可以當場就同一則表示意見，也可以日後有所感時，再加以續論。

按聚會之事，其次數必少於郵寄，而其可行度必高出郵投，是以《幽夢影》的評語該以「尺牘豪素」之互動居多。而就在一來一往的投寄下，各式看法的傳遞，激盪的慧眼獨具，皆在在顯示真情摯意的情感交流，

---

[23] 中華民國中央研究院傅斯年圖書館典藏線裝書，清‧張潮輯：《昭代叢書、乙集》(世楷堂藏版)，卷35，〈石村畫訣題辭〉，頁1右。以下若有引用此書，則不加注中研院字樣。

[24] 《昭代叢書、甲集》，〈自序〉，頁1左。

[25] 引自陳萬鼐：《孔東塘先生年譜》(台北：台灣商務印書館，1980年)，頁37。

而這也正是內在情感之美的所在。茲分以下兩方面不同角度,加以說明:

(一)肯定彼此,良性回應

張潮與這些文友彼此各顯身手,有一別高下,更有互相幫襯,其「相得益彰」之情,自然湧現:

1.

014	人須求可入詩,物須求可入畫。	● 石天外曰:人須求可入畫,物須求可入詩,亦妙!

張潮談的順序是「詩、畫」,而石天外則變動其順序,因此「亦妙」二字,洵是合情合理之思。

2.

028	樓上看山,城頭看雪,燈前看月,舟中看霞,月下看美人,另是一番情境。	● 尤謹庸曰:山上看雪,雪中看花,花中看美人,亦可。

張潮列舉了五個地點五種景觀,表達其審美見解;而尤謹庸只列出三項,至於「亦可」二字與「另是一番情境」則是恬然輕鬆之對照。

當然良性互動,也可使用「舉一反三」的方式,此一方式並非平行,有別於相得益彰,而是更深入或是更清楚的詮釋。如:

1.

035	少年讀書,如隙中窺月;中年讀書,如庭中望月;老年讀書,如臺上玩月。皆以閱歷之淺深,為所得之淺深耳。	● 畢右萬曰:吾以為學道,亦有淺深之別。

心齋依三個階段分析不同年齡與不同歷練對於讀書之領會,比喻深刻;而畢右萬則以淺顯的一句:「吾以為學道,亦有淺深之別。」可謂

舉一反三、技高一籌。

2.

043	雨之為物，能令畫短，能令夜長。	●張竹坡曰：雨之為物，能令天閉眼，能令地生毛，能為水國廣封疆。

張潮對於雨的看法已十分誇大，但是張竹坡的意見則又更為高妙，表現的手法更為靈動誇張。

3.

068	凡花色之嬌媚者，多不甚香；瓣之千層者，多不結實；甚矣，全才之難也，兼之者，其為蓮乎？	●殷日戒曰：花、葉、根、實，無所不空，亦無不適于用，蓮則全有其德者也。

作者對於蓮的喜愛與認同，尚且以「？」來詢問，而殷日戒則以「蓮則全有其德也」，用以加強更明確的肯定。

倘若了然於心而有「言外之意」，或有天外一筆，這樣的正面肯定也是十分令人心悅誠服的，例如：

1.

070	延名師訓子弟，入名山習舉業，丐名士代捉刀，三者都無是處。	●陳康疇曰：大抵名而已矣，好歹原未必著意。

好友陳康疇以四兩撥千斤之語氣，對於張潮的「延名師訓子弟，入名山習舉業，丐名士代捉刀，三者都無是處」並未予以否認，反而意有所指，令人會心一笑。

2.

| 081 | 厭催租之敗意,亟宜早早完糧;喜老衲之談禪,難免常常布施。 | ●睡尊者曰：我不會談禪，亦不敢妄求布施，惟閒寫青山賣耳。 |

睡尊者就事論事，如實才是最必要的；比起張潮實率性有味多了。

而「讚譽有加」的認可，對於彼此更是喜樂的！這些讚美有的是針對全書看法，有的是針對某一文句與作者本身而發，例如：

1.

| 067 | 情必近于癡而始真，才必兼乎趣而始化。 | ●陸雲士曰：真情種，真才子，能為此言。
●顧天石曰：才兼乎趣，非心齋不足當之。 |

兩人不約而同加以贈惠嘉語，其胸襟令人感佩，古來所謂「文人相輕」之說不啻無攻自破。這種良性的互動，也是書中令人最為稱羨的。畢竟錦上添花，再添一筆又有何妨。

2.

| 172 | 筍為蔬中尤物，荔枝為果中尤物，蟹為水族中尤物，酒為飲食中尤物…… | ●張南村曰：《幽夢影》可為書中尤物。 |

張潮將物類中的尤物一一列出已十分吸引人之目光，而有人又將《幽夢影》稱為尤物，真是使人如登雲霄，直達最佳境域。

（二）各持己見，觀點相左

能將反面的意見融入，能並存不同看法，這不只是智慧，也由此證明君子之交的堅定情誼是禁得起考驗的。所以文中的評語者雖與張潮的見解不同，但常能「自圓其說」，如：

1.

007	春聽鳥聲，夏聽蟬聲，秋聽蟲聲，冬聽雪聲；白晝聽棋聲，月下聽簫聲，山中聽松聲，水際聽欸乃聲，方不虛生此耳。若惡少斥辱，悍妻詬誶，真不若耳聾也。	●朱菊山曰：山老所居，乃城市山林，故其言如此。若我輩日在廣陵城市中，求一鳥聲，不啻如鳳凰之鳴，顧可易言耶？ ●張迂菴曰：可見對惡少悍妻，尚不若日與禽蟲周旋也。又曰：讀此方知先生耳聾之妙。

2.

129	不得已而諛之者，寧以口，毋以筆。不可耐而罵之者，亦寧以口，毋以筆。	●顧天石曰：今人筆不諛人，更無用筆之處矣。心齋不知此苦，還是唐宋以上人耳。

　　每人所處的環境所面對的情境終究不可同日而論，在這兩則裡，朱菊山認為張潮應該易地而處，方知人間尚有許多負面的不甚如意的情事；張迂菴則以「方知先生耳聾之妙」，對於自稱年邁後已耳充的張潮可說有嘲諷又有調侃之味；而顧天石更以「心齋不知此苦」來做回應，表達觀察心得。

　　而上列還算是客氣的，有時評語者會直接以「反諷挖苦」來相對，例如：

1.

010	入世須學東方曼倩，出世須學佛印了元。	●江含徵曰：武帝高明喜殺，而曼倩能免于死者，亦全賴吃了長生酒耳。

2.

080	律己宜帶秋氣，處世宜帶春氣。	●尤悔菴曰：皮裡春秋。

張潮以爲學得了東方朔學得了佛印，則入世出世自可遊刃有餘，此處完全道出他幾十年的處世經驗；而江含徵則用「長生酒」來說明，諷刺意味濃厚。至於尤悔菴則是使用較爲尖銳的字眼「皮裡春秋」，以示人情表裡不一之譏。

至於「戲謔調侃」就更不在話下了，如：

1.

013	楷書須如文人，草書須如名將，行書介乎二者之間，如羊叔子緩帶輕裘，正是佳處。	●程韡老曰：心齋不工書法，乃解作此語耶？

2.

034	窗內人於窗紙上作字，吾於窗外觀之，極佳。	●江含徵曰：若索債人于窗外紙上畫，吾且望之卻走矣！

以上兩則中作者對於各種字體作出妥貼的譬喻，悠閒自在。但是程韡老便持相反看法，認爲張潮乃外行人說外行話，幸而他以「耶」作語尾，才不至於有過度批判之旨，反而有戲謔之意；而下則江含徵則提出不是所有「紙上寫字」皆是好的，要不然索債人一來，可是大殺風景。

當然公說公有理的「南轅北轍」也會出現：

1.

091	先天八卦，豎看者也；後天八卦，橫看者也。	●吳街南曰：橫看、豎看，皆看不著。

2.

112	花不可見其落,月不可見其沉,美人不可見其天。	●朱其恭曰:君言謬矣,洵如所云,則美人必見其髮白齒豁而後快耶?

3.

115	以松花為糧,以松實為香,以松枝為塵尾,以松陰為步障,以松濤為鼓吹;山居得喬松百餘章,真乃受用不盡。	●施愚山曰:君獨不記曾有松多大蟻之恨耶?

上列這三則中,第一則中吳街南以為「皆看不著」,幾乎將張潮的專論見解全盤推翻,可謂雞同鴨講之狀。第二則朱其恭則是以「謬矣」加以反駁,提出不同的建言。而第三則中張潮對於「松」可說是推崇備至,但他自己忘記了在第27則中有「五恨松多大蟻」之言,顯見不只是別人,就連自己在不同的時空,其說法看法也會有所不同,這也難怪施愚山要提醒張潮,告知前後不一的矛盾所在。

從本章足以了解審美鑑賞是離不開感情的!張潮是個性情中人,有其真實而豐富的情感生活,且能將其主觀的抒情與真實的生活相互融合,因此當他的家道中落與科舉失利後,將其自我之內心世界之想望與友朋的有無互動,用以投射在《幽夢影》中,顯見書已成為他的情感告白。

但文學藝術的展現,除了情感的交流,更是知識的累積、情趣的互動、形象化藝術化的技巧、通俗的語言等結合,因此對於《幽夢影》的聆賞閱讀,不管是形式的或是內在情感的,斯文洵是拓展的擴充,美的感受之引領。

第七章 《幽夢影》的評價

對於如《幽夢影》這一類小品的文學作品，究竟其評價如何？近代陳少棠做了歸納簡述道：

> 清朝開國不久，實施了一連串禁毀書籍的行動，其中牽涉到許多晚明的「小品」作家及作品。經此之後，晚明「小品」彷彿成為文學界一個禁諱的題目。有清一代的文學研究者，竟沒有給它一個總結，或者給予具體的評價。但紀昀寫的〈帝京景物略序〉，卻頗有代表性。他說：「明之末年，士風佻，偽體作……劉同人楚產人也，故宗楚風。于司直稺與同人遊，故其習亦變而楚。所作《帝京景物略》八卷，其胚胎《世說新語》、《水經注》，其門徑則出入竟陵公安，其〈序〉致冷雋，亦時復可觀。蓋竟陵公安之文雖無當於古作者，而小品點綴則其所宜，寸有所長，不容歿也。」[1]

文中表現了「棄之可惜，留之多餘」的矛盾心理，也代表了清人對於小品的態度，或有禁毀，但也會有收錄之實。

民國以後迄今，由鼓吹小品文，延展到「晚明小品」一類的專題研究，其成果的確是豐收的；所受到的重視與評價，也是大大提升的。

但不管輕視或提升，集中焦點於張潮《幽夢影》之評價，則是有其必要的。本章茲從肯定與否定切入探索，並統整全面看法。

---

[1] 《晚明小品論析》（香港：波文書局，1981 年），頁 141-142。

第一節　正面肯定，褒榮如華袞

對於《幽夢影》之評價，邇來並無專章深入探討過，有之皆以「略筆」帶過！是以本章將首次深入彙整，融合筆者見解，將其分為正面肯定與負面批評兩方面加以說明。

透過正面的褒獎，將使讀者對於《幽夢影》此書，有更進一步的認識。

一、獨樹體例，風貌創格

由於《幽夢影》中兼有本文與評語並列，故實屬於創格之作。清朝楊復吉所寫之跋就說：

> 昔人著書，間附評語，若以評語參錯書中，則《幽夢影》創格也。清言雋旨，前吓後喁，令讀者如入真長座中，與諸客周旋，聆其謦欬，不禁色舞眉飛，洵翰墨中奇觀也。書名曰「夢」曰「影」蓋取六如之義。饒廣長舌，散天女花，心燈意蕊，一印印空，可以悟矣[2]。

楊氏之言有兩大肯定，其一，「以評語參錯書中，則《幽夢影》創格也」；其二，重視書中「奇觀之可貴性」。

近代黃慶來等則說：

---

[2] 清・張潮輯、楊復吉等續輯：《昭代叢書、別集》（清道光 29 年世楷堂藏版），〈幽夢影跋〉（現為中華民國中央研究院傅斯年圖書館典藏線裝書），頁 58 右。以下若有引用時，不再注中研院字樣。

古人著述間附評語者屢見不鮮，但全書評語參錯，則是首創，確有別開生面之功。《幽夢影》一書對後世有很大影響，以「幽夢影」為書名的著作不斷出現。內容類似它的集子就更多，但都無法和它相比[3]。

簡明扼要中已經說明對於張潮及其《幽夢影》的認同，而也藉由比較，凸顯其優秀性與影響深遠。

而本著第二章也針對近代官廷森等人所提出的看法，說明它乃是依「世說體」並加以演進的創格之作，是以針對其體例形式的發展上，此書的創新模式是有其極大價值的。

二、包羅萬象，珠璣串聯

說到《幽夢影》的內容題材多樣豐富，可是人人皆表贊同的。就以書中所附的原序，就極力推崇：

> 心齋著書滿家，皆含經咀史，自出機杼，卓然可傳。是編是其一臠片羽，然三才之理，萬物之情，古今人事之變，皆在是矣……讀是編也，其亦可以聞破夢之鐘而就陰以息影也夫[4]！

孫氏以「萬物之情」做了統整的讚喻，當然也流露出對於張潮的優異卓然，充滿羨慕。而王晫也言：

---

[3] 黃慶來、任辛、陳定華注釋：《幽夢影—文化修養篇》（南昌：江西教育出版社，1993年），〈出版說明〉，頁1-5。

[4] 《昭代叢書、別集》，〈孫致彌原序〉，頁2。

今舉集中之言，有快若并州之剪，有爽若哀家之梨，有雅若鈞天
之奏，有曠若空谷之音。創者則如新錦出機，多情者則如游絲裊
樹。以為賢人可也，以為哲人可也，以為達人、奇人可也，以為
高人、韻人亦无不可也。譬之瀛洲之木，日中視之，一葉百影。
張子以一人而兼眾妙，其殆瀛木之影歟[5]！

王氏與張潮是編輯的好夥伴，對於他的《幽夢影》所呈現出的各式
各樣的文句，給了極佳的形容與讚美。

而近人林政華則說：

內容包羅豐富，對人生體驗、德行修持、讀書心得、治學方法、
遊歷所感、閒情逸趣與交遊游藝等，均有透徹的體察和了悟，深
入淺出，用清新雅淨的文字加以表現。因此對讀者心靈境界的提
升、人生觀念的輔正、言行氣質的美化等，都有莫大的助益[6]。

林氏將其涵蓋的優點逐一列舉，並肯定此書對於人性美化著實裨益
良多。

當然本著也針對題材多樣性做了深入分析（見本著第四章），從不
同的觀點析賞肯定其內涵之美。

三、設思佳妙，藝術技巧引人入勝

文中的修辭雋永優美，大量使用了形式修辭中的「排比」、「對偶」

---

[5] 摘錄自許福明校注：《幽夢影》（合肥：黃山書社，1992 年），〈題辭〉，頁 104。
[6] 林政華評註：《幽夢影評註》（板橋：駱駝出版社，1997 年），〈前言〉，頁 6。

與文意修辭方面的「譬喻」、「映襯」，使得統一與對稱、整齊與和諧的文意湧現。而張潮更將其美學蘊藉揉拈其間，不管是內在的情感或是外在的風貌，均將美學之高妙恰如其分的綿密分布，使人既有如沐春風的柔軟心情，又有爭奇的欣賞能量，叫人好整以暇驚豔擊節。這般生活美學，不論是現實生活中的觀照，或是抽離的獨立欣賞，均可散放芬芳。是以余懷在原序中便讚嘆著說：

> 其《幽夢影》一書，尤多格言妙論，言人之所不能言，道人之
> 所未經道。展味低佪，似餐帝漿沆瀣，聽鈞天廣樂，不知此身
> 之在下方塵世矣……人當鏤心銘腑，豈止佩韋書紳而已哉[7]。

透過余氏的獨特感受，詮釋書中那份令人「飄飄乎如羽化而登仙」的動人之質，的確是耳目一新的。

而寫序的石龐也說道：

> 清如梵室之鐘，令人猛省，響若尼山之鐸，別有深思，則《幽
> 夢影》一書，余誠不能已於手舞足蹈，心曠神怡也[8]。

石氏高度喝采，非但牽動後人閱讀的欲望，也為拈聯美學的文義開展蘊藏的活力。

當然今人李愚一也極力高舉稱讚的旗子，說：

---

7 《昭代叢書、別集》,〈余懷原序〉,頁1。
8 《昭代叢書、別集》,〈石龐原序〉,頁3。

> 張潮《幽夢影》一書，文極清新雋永，為小品文之懷寶。行文
> 句句散立，如片羽斑色，如秀草幽花，使人耳目一新。所記都
> 是清新可愛的隨筆，有類格言諺語一般，一條一條獨立陳列……
> 此文風格較為特殊的小品作品，我們可以從它精巧別致的文字
> 排比上，得到文字遊戲的趣味；同時還可從深入淺出的內容與
> 意境上，得到一種引起共鳴的快樂或若有所悟的喜悅[9]。

信手拈來，文中特別針對其精巧的安排形式之美，音律錯綜變化的
躍動，流露其愉快的欣賞之情。

四、清新機趣，引領自在的生活美學

無論曩昔或是近代，一本書中傳神的文字優美的特質悠閒的新趣一
旦俱備，則其膾炙人口的程度，將隨時間之流轉，而有更高的肯定。以
《幽夢影》而言，正因其融入生活的絕妙，三百年來無不深受士子百姓
的喜愛，是以它在學術殿堂中或許亮麗不足光采不彰，但潛移默化的生
活美學，卻是深植人心的。

因為這樣，所以光是此書評語中就已有一些相關的高度評價，如：

> 1. 龐筆奴曰：讀《幽夢影》，則春夏秋冬，無
>   時不宜。（第 1 則）[10]

---

[9] 李愚一：《袁中郎小品文研究》（高雄：國立高雄師範大學中文研究所碩士論文，1986 年），頁 269-270。

[10] 參見本著附錄一，頁 199。

2.周星遠曰：心齋《幽夢影》中文字，其妙亦在
景象變幻。（第84則）[11]

3.張南村曰：《幽夢影》可為書中尤物。（第172
則）[12]

在這些評語中，龐氏的四季皆宜真是拈聯出精純的品味；而周氏則
是藉景來陳述那份悸動，為生活找到寄託；至於張南村更把「尤物」這
個生活中使人神往迷戀的用語大膽表露，其實就是直接向平淡的日子注
入力量，烘托此書的最佳特質。

至於今人呂自揚也認為：

《幽夢影》還不能算是一本偉大的著作，卻是一本奇書，一本
很清新可喜，多奇言妙論、麗句韻語的奇書，也是一本在那個
時代裡，從頭到尾，幾乎都是自出機杼，自發前人未發之論的
趣書與閒書[13]。

事實上呂氏更有「才子書」、「獨抒性靈、不拘格套」等諸多讚賞
看法；而在經由分類為九卷之後的每一則「眉批」，也是以正面呼應，
隨之起舞，並無負面的言詞。

而馮保善也經由深入分析後提出：

---

[11] 參見本著附錄一，頁221。
[12] 參見本著附錄一，頁246。
[13] 呂自揚主編：《眉批新編幽夢影》（高雄：河畔出版社，1993年），〈前言〉，
頁9。

晚明社會重享樂，講美食，嗜茶酒，好女色，蓄聲伎，讀閒書，樂山水，建園林，賞花草等等，便體現了迥異於前代的不同追求，反映了一種新興的社會時尚。這些，在《幽夢影》中多所繼承，並有較突出表現[14]。

這是馮氏在此書〈導讀〉中的一段精闢說明。舉凡懂得生活經營者，時時刻刻均能從不同時空汲取養分，有時自悅有時與人共享，而當它反映在生活的每個細節，這個最耀眼的精靈——《幽夢影》便佔據且感動了無數寂寞的心。

五、哲思精粹，讀者接受度極高

雖然《幽夢影》與格言的內涵不盡相同，但由於它具有簡約平易且形式整齊的特色，無形中也增加了閱讀欣賞、口耳相傳、勉勵互贈的次數。特別是以今日二十一世紀的快速發展時代，語言或文字的使用習慣，較喜於擺脫長篇大論，而讓簡潔有力、陳中見新、樸裡見色的文章獲得共鳴，而《幽夢影》不管在過去或是現在，的確是投其所好的。

就因為這樣，原評裡便也呈現如此一類的誇譽，如：

1. 殷日戒曰：《幽夢影》是一部快書。
   朱其恭曰：余謂《幽夢影》是一部趣書。
   龐天池曰：《幽夢影》是一部恨書，又是一部禪書。（第 99 則）[15]

---

[14] 馮保善注譯：《新譯幽夢影》（台北：三民書局，2000 年），〈導讀〉，頁 5。
[15] 參見本著附錄一，頁 226。

2. 陸雲士曰：《幽夢影》一書，所發者皆未發之
論，所言者皆難言之情，欲語羞雷同，可以題贈。
（第 101 則）[16]

能有這樣的評價，一定要有這般的體悟！而這些心境有的情思綿長
耐人尋味，有的則是清淺自在賦含人生哲理，至於悠遠蘊藉或是悲嘆成
愁，也是一種迷人的姿勢，全都在《幽夢影》的平易簡潔中散放開來。
另外清代張惣在此書〈原跋〉中也肯定道：

此冊一行一句，非名言即韻語，皆從胸次體驗而出，故能發人
警省。片玉碎金，俱可寶貴[17]。

張氏以「皆從胸次體驗而出」肯定此書，每每漫遊在其間，無一不
是名言佳句，即便是片玉碎金，也令人愛不釋手。
而〈江之蘭原跋〉中江氏則言：

昔人云：「芥子具須彌」，心齋則于倏忽備古今也。此因其心
閒手閒，故弄墨如此之閒適也[18]。

不管是驚鴻一瞥或是留連駐足，他藉由「閒」一字成全了《幽夢影》
最美的精神所在。但重要的是這些「備古兼今」的凝鍊，正是現代許多
人夢寐以求都難以企及的。

---

[16] 參見本著附錄一，頁 227。
[17] 《昭代叢書、別集》，〈張惣原跋〉，頁 57 右。
[18] 《昭代叢書、別集》，頁 57 左。

當然以重金購得《幽夢影》手抄本的章衣萍更下了極佳的註腳,其曰:

> 心齋思想言論,正如知堂先生所云:「是那麼舊,又是那麼新。」
> 當代思想家,能如心齋這樣寫出清新可愛的隨筆,尚絕無僅有[19]。

章氏對於徽州同鄉的張潮,所知不多,但十分感慨,因爲其名永遠不可能勝過徽州人氏的朱熹、戴東原等!是以能得抄本,十分雀躍,也以「當代思想家,能如心齋這樣寫出清新可愛的隨筆,尚絕無僅有」,對於其內在的深沉思維加以肯定。

誠如評者張竹坡所言:「讀到喜怒俱忘,是一大樂境。」[20] 是以林語堂的〈張潮的警句〉更進一步詮釋:

> 人則以了解生活的藝術家的資格去選擇大自然的精神,而使它和自己精神融合起來。這是一切中國詩文作家所共持的態度。不過其中以十七世紀中葉的詩人張潮在所著《幽夢影》一書中說得最透徹。這書是一種文人的格言,中國古代類似的著作很多,但都不如這書而已[21]。

林氏以詩人稱之張潮,給予《幽夢影》高度評價,特別是在表現人文精神方面,認爲它是十七世紀最佳代表作品。

---

[19] 摘錄自張心齋著:《幽夢影》(台北:西南書局,1976 年),〈前記〉,頁 2。
[20] 參見本著附錄一,第 100 則評語,頁 227。
[21]《生活的藝術》(台南:德華出版社,1980 年),第 10 章,頁 309。

六、親和力強，帶動編寫風潮

由於《幽夢影》的普及特質，使得許多正面效應連帶產生。其一是帶動編寫風潮。張潮所處的世代，印刷出版事業興盛，是以他偕同王晫等人著手編輯《昭代叢書》、《檀几叢書》等書，並且在每一選文加上〈序〉、〈跋〉、〈題辭〉、〈小引〉等，而張潮出現的次數可謂十分頻繁（上述幾乎是由張潮主筆）。能爲人寫序寫跋之人，皆是文壇地位高或文筆雋美者，這種方式，不僅有助於刺激購買欲望，更有助於提高彼此的知名度。張潮將這樣的模式套用在《幽夢影》中，並將評語、序、跋、題辭等加以收錄，共同凝聚了「盛大的形貌」，表現了他「海內存知己」的胸襟，營造出「天涯若比鄰」的情懷，吸引眾人的目光焦點。

其二是重視作者、作品與讀者間的關係。因爲凡是具有趣味的文學作品，必須由原有作者苦心經營之後，有賴讀者反覆咀嚼與領會，甚且成爲知己的立場，才能更具閱讀的功用。於是他採用了通俗化的文詞，拉近了與讀者的距離；讓作品具有其具體的實用性，畢竟文學創作已經不是縉紳士族的專利，藉以增進作品的親和力。再者會考量讀者的鑑賞與喜好爲取向，滿足新奇與探索的意願，於是他鎔鑄諸多的前人智慧，並加以斟酌增減，的確是煞費苦心的。

第二節　負面評價，貶苛甚於斧鉞

所謂的負面看法，有些是全盤否定《幽夢影》一書；有些則是提出一些不認同的或是戲謔的意見，做更實在的剖析，以免將其視如不可侵犯般供奉著！

一、風雅不足，難登大雅之堂

在清代由於受到禁毀令與編輯者的好惡影響，諸多書籍均遭焚毀禁傳的命運或者以評價不高加以打擊，而《幽夢影》自然也不能免於其難。在《昭代叢書、別集》中提到：

> 並蒙重疊惠函，屬汰其無裨掌故者，而補以有益之書。余重違兩先生命，不揣固陋。易去閒情藝物之有損風雅者，計得六十種，另為一編，名曰別集。從此鴻文鉅製都成拱璧，即斷錦零珪亦足以資聞見，識大識小兩無憾已[22]！

這是在道光二十九年歲次己酉仲春之月，吳江沈楙悳另編別集時所書寫之〈序〉，《幽夢影》便列於此冊。從序文的「易去閒情藝物之有損風雅者」一事來看，可以想見的確視之為「不登大雅之堂」！而另以是書乃「無益之冊」，無法名列於十集之中，以免有玷「昭代」之名，則又是一項貶辭。其他被以此同等看待者尚有：石龐《悟語》、余懷《板橋雜記》、黃周星《廈詞》、尤侗《戒賭文》、冒襄《影梅庵憶語》、程羽文《清閒供》等六十種。

而近代的黃慶來等學者也因社會主義一類因素，對此書做出負面評價，其言：

> 我們在肯定《幽夢影》一書積極作用的同時，也應看到它同所有文化遺產一樣，不可能沒有時代的印記和局限。《幽夢影》屬雜有一些「格調不高」，甚至是很不健康的思想內容。比如，

有的表現了封建士大夫的低級趣味和腐朽生活，有的宣揚了因
果報應、虛幻空了的消極思想，這些都是應予批判揚棄的[23]。

此書除了有正面的讚譽，也相對的提出一些否定。只可惜文中並未
舉出實際例子，究竟有哪些屬於「表現了封建士大夫的低級趣味和腐朽
生活」，而哪些又是「宣揚了因果報應、虛幻空了的消極思想」之實例。

二、冬烘之見，與生活底層脫節

在《幽夢影》中常見優雅清閒之舉，往往使人深感不夠實際，活在
雲端的虛無之失。像評語中的陳鶴山就說道：

> 君獨未知今不識字、不握管者，其樂尤甚于
> 不盲、不啞者也。（第 53 則）[24]

其言下之意，明顯以「不識字、不握管」反唇譏諷。畢竟窮其一生
讀盡群書，結果成就遠不如文盲大不如挑糞者，憾恨之深，又何必自欺
欺人呢！而另一位評者也說：

> 黃舊樵：我則異於是，最惡世之貌為大家者。（第
> 73 則）[25]

與其崇尚虛名倒不如實際一些的好，因為黃氏認為光有皮毛而無內

---

[23]《幽夢影—文化修養篇》，〈出版說明〉，頁 4。
[24] 見本著附錄一，頁 213。
[25] 見本著附錄一，頁 218。

涵，也只是令人更加鄙視無法發自內心予以敬佩。至於張潮好友范汝受
更評論道：

> 此亦是貧賤文人無所事事自為慰藉云耳，恐亦無
> 實在受用處也。（第 120 則）[26]

范氏將真實層面的心情直接相告，認清「不食人間煙火」雖是十分
浪漫，但是現實生活的殘酷，也不能視而不見。

至於今人馮保善則認為：「士大夫家有餘財，其布施老僧，聽聽說
經，感受些禪機，樂在其中，自不必說它。唯『亟宜早早完糧』一語，
不免局外人之談，是不知稼穡艱難者聲口。做為士大夫之張潮，之於黎
民百姓，是何等的隔膜！」[27] 顯見文人雅士雖常與美好的人事物相提並
論，但若是與生活脫節，有時不免令人詬病。

三、雖具旁徵博引之姿，但實有因襲之嫌

欲了解《幽夢影》是否有所因襲或改造前人作品，得先從文學史的
角度來切入，劉大杰就認為：

> 我們看清代二百多年的文學界，無論詩文詞曲，都是走復古之
> 路。因為全是走的復古之路，各種作品，都逃不出摹擬與因
> 襲……各種文體在各時代，都已發揮殆盡，到了清朝，全變成
> 了舊體與殘骸，任你是大才力的作家，想恢復藝術的青春的力

---

[26] 見本著附錄一，頁 232。
[27] 《新譯幽夢影》，頁 93。馮氏針對第 81 則之內文提出與張潮不同的看法。

量，實在是不可能的[28]。

「無法推陳出新，脫離不了窠臼」是文中對於清朝文學的看法，連帶的《幽夢影》也難以避免。而今人王運熙、顧易生也認為：

> 這階段中，古代曾經出現的各種文體和不同的風格流派，幾乎都有人在重振旗鼓，總結傳統經驗，從事理論與資料建設，作出不少成績；但他們往往偏重繼承而相對的缺乏創造的精神[29]。

文中「但他們往往偏重繼承而相對的缺乏創造的精神」見解，也是認定清朝在諸多文學表現上條件的確是不足的。

至於研究小品的學者吳承學就直言不諱的說：

> 晚明文人有一種風氣，喜歡鈔撮前人諸書而自成己書。眉公掛名的許多著述，多雜采史傳說部及前人之言語，或掇取瑣言僻事，詮次成書，潦草成編，就學術而言，並無多少價值[30]。

這種風氣不僅在陳繼儒身上產生，其他諸多作家的確也樂此不疲。又言：

> 清言創作十分自由，既可以自行創作，也可以是對前人語言加以

---

[28] 《中國文學發達史》（台北：台灣中華書局，1972 年），頁 1007-1008。

[29] 王運熙、顧易生主編：《中國文學批評史》（台北：五南圖書公司，1993 年），下冊，頁 757。

[30] 《旨永神遙明小品》（汕頭：汕頭大學出版社，1997 年），頁 49。

> 提煉與改造……雖是他人之語，一經慧眼，便成清言[31]。

　　這兒點出問題癥結所在！由於張潮編書過程中，來自四面八方的投稿作品真是如雪花般多，想要從中吸取養分並不難；況且他又是深好「小品」之人，在他的年代，明朝才亡國不遠，若要以崇拜和探索的態度去追隨前人足跡，更是難以拒絕。

　　以下茲採對照方式，找出其因襲或是模擬之證明所在，其一：

＊明・陳繼儒《巖棲幽事》一卷

> 香令人幽，酒令人遠，石令人雋，琴令人寂，茶令人爽，竹令人冷，月令人孤，棋令人閒，杖令人輕，水令人空，雪令人曠，劍令人悲，蒲團令人枯，美人令人憐，僧令人淡，花令人韻，金石彝鼎令人古[32]。

＊明・陸紹珩《醉古堂劍掃》

> 香令人幽，酒令人遠，茶令人爽，琴令人寂，棋令人閒，劍令人俠，杖令人輕，塵令人雅，月令人清，竹令人冷，花令人韻，石令人雋，雪令人曠，僧令人談，蒲團令人野，美人令人憐，山水令人奇，書史令人博，金石鼎彝令人古[33]。

---

[31] 《旨永神遙明小品》，頁 123。
[32] 引文自《叢書集成初編》（北京：中華書局，1985 年），第 687 冊，頁 1。
[33] 引文自卷 7，〈韻部〉，頁 206，此版本其中的僧令人談，其「談」字恐有誤（台北：考古文化事業公司，2001 年）。

在《劍掃》書中所採用書目，其中便有《眉公秘笈》與《巖棲幽事》二書！而《劍掃》各〈部〉文句本就是擷取諸多書籍中雅句嘉言，因襲改造或斷章取義其內文而成，因此此處之安排並不足怪。而《巖棲幽事》又有承襲前人之處，一層連著一層，成了固定模式。至於《幽夢影》中則將以上句子改為：

> 梅令人高，蘭令人<u>幽</u>，菊令人<u>野</u>，蓮令人<u>淡</u>，春海棠令人<u>豔</u>，牡丹令人豪，蕉與竹令人<u>韻</u>，秋海棠令人媚，松令人逸，桐令人<u>清</u>，柳令人感。（第 131 則）[34]

張潮採取借用其「外殼」，寄居其「內在」，雖未像《劍掃》之相似度高，但是諸多法則卻是與此相同並衍生而出的。其二又如：

＊明‧陸紹珩《醉古堂劍掃》

> 賞花須結<u>豪友</u>，觀妓須結<u>澹友</u>，登山須結逸友，汎水須結曠友，對月須結冷友，待雪須結<u>艷友</u>，捉酒須結<u>韻友</u>[35]。

此文對於不同的活動有不同的友人陪伴，至於張潮則有了以下的文辭：

> 上元須酌<u>豪友</u>，端午須酌<u>麗友</u>，七夕須酌<u>韻友</u>，中秋須酌<u>淡友</u>，

---

[34] 見本著附錄一，頁 236。
[35] 引文自卷 12，〈倩部〉，頁 330。

重九須酌<u>逸友</u>。（第 8 則）[36]

這兒的五種友人幾乎與上列一同，但是活動之「空間」已經改成「時間」，說是翻新，倒不如說張潮投機了些！

其三之例則如：

*明‧袁宏道《瓶史》

溫花宜晴日、宜轉寒、宜華堂，暑花宜雨後、宜快風、宜佳木蔭、宜竹下、宜水閣，涼花宜爽月、宜夕陽、宜空階、宜苔徑、宜古藤嶙石邊[37]。

*明‧費元祿〈鼂采館清課〉

遠山宜秋，近山宜春，高山宜雪，平山宜月[38]。

以上兩則均以「宜」作安排，而《幽夢影》中則是改造如下：

春雨宜讀書，夏雨宜弈棋，秋雨宜檢藏，冬雨宜飲酒。（第 86 則）[39]

---

[36] 見本著附錄一，頁 201。
[37] 引自《叢書集成初編》，第 1559 冊，卷下，11 清賞，頁 9。
[38] 引自《叢書集成初編》，第 687 冊，卷下，頁 25。
[39] 見本著附錄一，頁 222。

　　諸如此類以「宜」作安排，張潮將之運作自如，在《幽夢影》中可說是主要手法，而此種方式也正是清言小品等常出現的，或可說是一大代表特色。

　　其四又如：

＊明・王路《花史左編》

　　　　有野趣而不知樂者，樵牧是也；有果蓏而不及嘗者，菜傭牙販是也；有花木而不能享者，達官貴人是也[40]。

　　此為陳繼儒為《花史》寫的〈跋〉，以排比形式呈現，而張潮則有：

　　　　有山林隱逸之樂，而不知享者，漁樵也，農圃也，緇黃也；有園亭姬妾之樂，而不能享、不善享者，富商也，大僚也。（第137則）[41]

　　一式二樣，或有擴充或有減損，而其如出一轍的模式，總不脫「拾人牙慧」或「有樣學樣」的嫌疑。

　　至於第五例則又有換湯不換藥的痕跡：

＊明・陸紹珩《醉古堂劍掃》

---

[40] 引自《四庫全書存目叢書》（台南：莊嚴文化事業公司，1995 年），子部，譜錄類，第 82 冊，頁 54。
[41] 見本著附錄一，頁 237。

世無花月，美人不願生此世界[42]。

而張潮將其運用，整理出另一種感受：

昔人云：「若無花月美人，不願生此世界。」予益一語云：「若
無翰墨、棋、酒，不必定作人身。」（第 17 則）[43]

一個引用兩種對照，好的是他的慧心慧眼，輕鬆之中，便有一舉兩
得；不佳的是，比類附會，只見皮相而無真情意，紙上一較高下一逞口
舌罷了。

總結而論，即便《幽夢影》有其正面與負面的評價，但以時至今日
仍流通於世，受到眾多不同層級者的歡迎角度看來，其值得賞鑑的意
義，早已是不言而喻的了。

---

[42] 引文自卷 2，〈情部〉，頁 49。
[43] 見本著附錄一，頁 204。

第八章 結　論

水到渠成後，有關本著的結論如下：

一、各章綜論，澄澈可掬

第一章「張潮的一生」

在本章中共分三節，第一節針對張潮的字號、別號、室名作介紹，藉以驗明正身，並經求證確立「西元 1650-1707 年」為其「生卒年」；其次論及家世背景、仕途際遇以及世人對於張潮的評價。第二節以張潮交遊為重心，或為榮榮大才之友，或為德高望重之輩，或為飛黃騰達之人，其交遊廣闊，令人嘆服，惜無人在他身陷囹圄時伸出援手。第三節談及編與寫的成就，從這些書冊中，重新以全面多元的角度，審視其一生孤芳自賞的輝煌。

第二章「《幽夢影》的體例」

本章共分為三個層次說明，藉由「世說體」的承繼分析，「清言」的形似探索，「小品」的獨抒性靈之論述，最後歸結出此書的確屬於小品一類，並具有鎔鑄多樣體裁之長的創新表現。

第三章「《幽夢影》的新、舊編本」

在「舊編本」一節中針對七本做分析，除了將七本的外形結構不同加以比對之外，並將其內容之差異一一列舉，希望在時空流轉裡，更清晰找出其變化脈絡。而「新編本」中則是對於 1976 年左右迄於今，曾通行於世的新編本加以介紹。對於大陸與台灣出版品其間的關聯性甚或

有抄襲、錯誤、則數不一等均具有釐清視聽,延展與開創的實質意義在。

第四章「《幽夢影》豐富多姿的題材內容」

筆者嘗試以獨樹一格新創的分類方式,將其內容(近八成五的則數納入)分為四種,其一:人性真諦的體悟,主要以人做為選取的標的;其二:生活況味的享受,將其生活中的審美方式或經營加以臚列;其三:物我感嘆的抒發,情有悲喜,心有靜動,物我之間其實所流淌的感傷是一致的,是屬於齊物的;其四:語文天地的馳騁,讀書一類的題材在書中的分量也是非常多的,而對於讀書寫作與評論析賞之理,作者的確有其獨特之見解。

第五章「《幽夢影》雋永優美的修辭技巧」

對於修辭分析以介紹辭格為主,第一節作基本的介紹,借用黃慶萱《修辭學》中的「表意」或「形式」作為區分方式。在「表意」一項中共計有感嘆、設問、摹寫、仿擬、引用、轉品、婉曲、譬喻、借代、轉化、映襯、示現等辭格;而在「形式」設計方面,則有類疊、對偶、排比、層遞、回文等辭格,加以舉例介紹。第二節乃參考蔡宗陽主張的「兼格辭格」作一敘述,從「兩種辭格」起,到最後的「七種辭格」為止,針對每一則中常兼有多重辭格出現,進行更為實際的探討。

第六章「《幽夢影》靈動活潑的藝術特色」

本章共分為三節。第一節,先從《幽夢影》審美的生活情趣切入,以簡潔的模式加以區分其技巧,不管是「比較」或是「合宜」法,均為下文之開啓具有推波助瀾之效。第二節,則論及形式技巧之美,由於《幽夢影》中的句式多樣,或長或短,是以值得探討其特色;其次是語言的

使用，採取的是平易簡單，而非艱深之冷僻用詞，故接受度高；而在節
奏方面，音節長短音律高低，也是可以用心觀察的；至於在意象的塑造
方面，其豐富性也並不輸一般的詩歌或是散文。第三節則是內在感懷之
美，重點放在個人情感的抒發與友朋之間的互動。情感常給人抽象的感
覺，很難用語言完全表達清楚，但張潮藉由文字的鋪陳，卻可以使人有
「生離死別」，也可以「躬逢其盛」，或是「心照不宣」，更是「心領神
會」的體悟，於是不管曲則直，不管真且誠，總是令人想一窺究竟的。
特別是張潮所留下的個人資料欠缺的情況下，藉由《幽夢影》又是其重
要的一面鏡子，從中得以使後世的讀者，延頸企踵之際，彌補了一些缺
憾，不致入寶山而空手回。

第七章「《幽夢影》的評價」

共分為兩節說明。有關《幽夢影》的評價，筆者從正面的見解與反
面的看法切入，可以歸結出所呈現的是「沉機觀變」的「譽多於毀」的。

二、乘興有情，重現湮沒的輝煌

有了以上七章的闡述，最後呈現的是結論。經由這七章的文化美學
的觀照，做為解析文化的利器，其方法與取向，其追求歷史意義與關懷
文化價值均由《幽夢影》真實呈現；而一切努力與付出，皆欲揚升的是
張潮曾有的湮沒的輝煌。

誠然任何的研究論文受限於研究旨趣研究範圍，必須在討論的題材
上有所取捨，而本論文也不例外；遂無法全面照顧到所有相關的背景與
議題，但其所集中的重心卻是未有失焦的。因此筆者相信透過這樣的研
究，得以重回傳統文人能夠優游於自行築構的審美世界中，看見他們擺
脫世俗社會的干擾而獲致安身立命的態度，不管它是虛擬的或是真實

的，其本真的實踐適足以叫人為之嘆服沉醉了。

　　或許張潮依然寂寞，《幽夢影》也孤獨無言，但「著得一部新書，便是千秋大業；注得一部古書，允為萬世宏功」（第69則）的期許，張潮自我肯定了也實踐理想了；至於筆者遇見了也彰顯了，那種蒼茫走來的燦爛輝煌，該是可以延續且冀盼研究同好揮劍出鞘，劍氣如虹的。

附錄一：《幽夢影》原文與評語

原　　文	名　家　論　評
001 讀經宜冬，其神專也；讀史宜夏，其時久也；讀諸子宜秋，其致別也；讀諸集宜春，其機暢也。	● 曹秋岳曰：可想見其南面百城時。 ※ 1. 龐筆奴曰：讀《幽夢影》，則春夏秋冬，無時不宜。
002 經、傳宜獨坐讀，史、鑑宜與友共讀。	● 孫愷似曰：深得此中真趣，固難為不知者道。 ● 王景州曰：如無好友，即紅友亦可。
003 無善無惡是聖人（如帝力何有于我、殺之而不怨，利之而不庸、以直報怨，以德報德、一介不與，一介不取之類），善多惡少是賢者（如顏回不貳過，有不善未嘗不知、子路，人告有過則喜之類），善少惡多是庸人，有惡無善是小人（其偶有為善處，亦必有所為），有善無惡是仙佛（其所謂善，亦非吾儒之所謂善也）。	● 黃九煙曰：今人一介不與者甚多，普天之下，皆半邊聖人也。利之不庸者，亦復不少。 ● 江含徵曰：先惡後善，是回頭人；先善後惡，是兩截人。 ● 殷曰戒曰：貌善心惡者，是奸人，亦當分別。 ● 冒青若曰：昔人云：「善可為而不可為。」唐解元詩云：「善亦嬾為何況惡？」當于有無多少中更進一層。
004 天下有一人知己，可以不恨。不獨人也，物亦有之。如菊以淵明為知己，梅以和靖為知己，竹以子猷為	● 查二瞻曰：此非松鶴有求于秦始、衛懿，不幸為其所近，欲避之而不能耳。

知己，蓮以濂溪為知己，桃以避秦人為知己，杏以董奉為知己，石以米顛為知己，荔枝以太真為知己，茶以盧仝、陸羽為知己，香草以靈均為知己，蓴鱸以季鷹為知己，蕉以懷素為知己，瓜以劭平為知己，雞以處宗為知己，鵝以右軍為知己，鼓以禰衡為知己，琵琶以明妃為知己。一與之訂，千秋不移，若松之于秦始，鶴之于衛懿，正所謂不可與作緣者也。

● 殷日戒曰：二君究非知者，然亦無損其為松鶴。

● 周星遠曰：鶴于衛懿，至呂政，直是唐突爵耳。猶夫公八十五大夫之爵，當感思之耳。

● 王名友曰：松遇封，還是知己。世間又尚有剗松煮鶴者，此秦、衛之罪人也。

● 張竹坡曰：人中無知己，而下求于物，是人之幸而物不幸矣！物不遇知己，而濫用于人，是物之幸而人不快矣！知己之難，知其難，能知其樂。

005

為月憂雲，為書憂蠹，為花憂風雨，為才子佳人憂命薄，真是菩薩心腸。

● 余淡心曰：洵如君言，亦安有樂時耶？

● 孫松坪曰：所謂君子有終身之憂者耶？

● 黃交三曰：為才子佳人憂命薄一語，真令人淚濕青衫。

● 江含徵：我讀此書時，不免為蟹憂霧。

● 張竹坡曰：第四憂，恐命薄者消受不起。

● 張竹坡又曰：江子此言直是為自己憂蟹耳。

● 尤悔菴曰：杞人憂天，

	孾婦憂國，無乃類是。
006 花不可以無蝶，山不可以無泉，石不可以無苔，水不可以無藻，喬木不可以無藤蘿，人不可以無癖。	● 黃石閭曰：事到可傳皆具癖，正謂此耳！ ● 孫松坪曰：和長輿卻未許藉口。
007 春聽鳥聲，夏聽蟬聲，秋聽蟲聲，冬聽雪聲；白晝聽棋聲，月下聽簫聲，山中聽松聲，水際聽欸乃聲，方不虛生此耳。若惡少斥辱，悍妻詬誶，真不若耳聾也。	● 黃仙裳曰：此諸種聲頗易得，在人能領略耳。 ● 朱菊山曰：山老所居，乃此市中。若我輩日在廣陵城市山林，故其言如此。求一鳥鳴，顧可如城帝言，不易耶？如鳳凰之鳴，顧可易耶？ ● 釋中洲曰：昔文殊選二十五根為圓通，以耳根圓通選第一。今普門居他位，不減普門，士日為齋，吾當以心齋，自以心選第一矣！ ● 張竹坡曰：久客者，欲聽兒輩讀書聲，了不可得。 ● 張迂菴曰：可見對惡少悍妻周旋，尚不若日與禽蟲為伍也。又曰：讀此方知先生耳聾之妙。
008 上元須酌豪友，端午須酌麗友，七夕須酌韻友，中秋須酌淡友，重九須酌逸友。	● 朱菊山曰：我于諸友中，當何所屬耶？ ● 王武徵曰：君當在豪與韻之間耳。 ● 王名友曰：維揚麗友

	多，豪友少，韻友更少。至于淡友、逸友，則削迹矣。
	● 張竹坡曰：諸友易得，發心酌之者為難能耳。
	● 顧天石曰：除夕須酌不得意之友。
	※1.徐硯谷曰：惟我則無時不可酌耳。
	● 尤謹庸曰：上元酌燈、端午酌綵絲、七夕酌雙星、中秋酌月、重九酌菊，則吾友俱備矣。
009 鱗蟲中金魚，羽蟲中紫燕，可云物類神仙。正如東方曼倩避世，金馬門人不得而害之。	● 江含徵曰：金魚之所以免湯鑊者，以其色勝而味苦耳。昔人有以重價覓奇特者，以餽邑侯。邑侯他日謂之曰：「賢所贈花魚殊無味，蓋已烹之矣！」世豈少削圓方竹杖者哉！
010 入世須學東方曼倩，出世須學佛印了元。	● 江含徵曰：武帝高明喜殺，而曼倩能免于死者，亦全賴吃了長生酒耳。
	● 殷日戒曰：曼倩詩云：「依隱玩世，詭時不逢。」此其所以免死也。
	● 石天外曰：入得世，然後出得世。入世、出世打成一片，方有得心應

	手處。
011 賞花宜對佳人，醉月宜對韻人，映雪宜對高人。	● 余淡心曰：花即佳人，月即韻人，雪即高人。既已賞花、醉月、映雪，即與對佳人、韻人、高人無異也。 ● 江含徵曰：若對此君仍大嚼，世間那有揚州鶴？ ● 張竹坡曰：聚花、月、雪于一時，合佳、韻、高為一人，吾當不賞而心醉矣！
012 對淵博友，如讀異書；對風雅友，如讀名人詩文；對謹飭友，如讀聖賢經傳；對滑稽友，如閱傳奇小說。	● 李聖許曰：這幾種書亦如對這幾種友。 ● 張竹坡曰：善于讀書取友之言。
013 楷書須如文人，草書須如名將，行書介乎二者之間，如羊叔子緩帶輕裘，正是佳處。	● 程鞾老曰：心齋不工書法，乃解作此語耶？ ● 張竹坡曰：所以羲之必做右將軍。
014 人須求可入詩，物須求可入畫。	● 龔半千曰：物之不可入畫者，豬也，阿堵物也，惡少年也。 ● 張竹坡曰：詩亦求可見人，畫亦求可像箇物。 ● 石天外曰：人須求可入畫，物須求可入詩，亦妙！

015 少年人須有老成之識見，老成人須有少年之襟懷。	● 江含微曰：今之鐘鳴漏盡，白髮盈頭者，若多收幾斛參，便後置側室，豈非有少年襟懷耶？獨是少年老成者少耳！ ● 張竹坡曰：十七八歲便有妾，亦居然少年老成。 ● 李若金曰：老而腐板，定非豪傑。 ※1.王司直曰：如此方不使歲月弄人。
016 春者天之本懷，秋者天之別調。	● 石天外曰：此是透徹性命關頭語。 ● 袁中江曰：得春氣者，人之本懷。得秋氣者，人之別調。 ● 尤悔菴曰：夏者天之客氣，冬者天之素風。 ● 陸雲士曰：和神當春，清節為秋，天在人中矣。
017 昔人云：「若無花月美人，不願生此世界。」予益一語云：「若無翰墨、棋、酒，不必定作人身。」	● 殷日戒曰：枉為人身生在世界者，急宜猛省。 ● 顧天石曰：海外諸國，決無翰墨、棋、酒。即有亦不與吾不同一般，有人何也。 ● 胡會來曰：苦無豪傑文人，亦不須要此世界。
018 願在木而為樗（不才終其	● 吳蘭次曰：較之〈閒情〉一賦，所願更自不同。

天年），願在草而為藬（前知），願在鳥而為鷗（忘機），願在獸而為鷹（觸邪），願在蟲而為蝶（花間栩栩），願在魚而為鯤（逍遙遊）。	● 鄭破水曰：我願生生世世為頑石。 ● 尤悔菴曰：「第一大願。」又曰：「願在人而為夢。」 ● 尤慧珠曰：我亦有大願，願在夢而為影。 ● 弟木山曰：前四願皆是相反，蓋前知則必多才，忘機則不能觸邪也。
019 黃九煙先生云：古今人必有其偶隻，千古而無偶者，其惟盤古乎？予謂盤古亦未嘗無偶，但我輩不及見耳。其人為誰？即此劫盡時最後一人是也！	● 孫松坪曰：如此眼光，何竟出牛背上耶！ ● 洪秋士曰：偶亦不必定是兩人，有三人為偶者，有四人為偶者，有五、六、七、八人為偶者，是又不可不知。
020 古人以冬為三餘，予謂當以夏為三餘：晨起者夜之餘，夜坐者晝之餘，午睡者應酬人事之餘。古人詩云：「我愛夏日長。」洵不誣也。	● 張竹坡曰：眼前問冬夏皆有餘者，能幾人乎？ ● 張迂菴曰：此當是先生辛未以前語。
021 莊周夢為蝴蝶，莊周之幸也；蝴蝶夢為莊周，蝴蝶之不幸也。	● 黃九煙曰：惟莊周乃能夢為蝴蝶，惟蝴蝶乃能夢為莊周耳。若世之擾擾紅塵者，其能有此等夢乎？ ● 孫愷似曰：君于夢之中，又占其夢耶？ ● 江含徵曰：周之喜夢為蝴蝶者，以其入花深

	也。若夢甫酣而乍醒,則又如嗜酒者夢赴席,而為妻驚醒,不得不痛加詬誶矣。 ● 張竹坡曰:我何不幸而為蝴蝶之夢者!
022 藝花可以邀蝶,累石可以邀雲,栽松可以邀風,貯水可以邀萍,築臺可以邀月,種蕉可以邀雨,植柳可以邀蟬。	● 曹秋岳曰:藏書可以邀友。 ● 崔蓮峰曰:釀酒可以邀我。 ● 尤艮齋曰:安得此賢主人? ● 尤慧珠曰:賢主人非心齋而誰乎? ● 倪永清曰:選詩可以邀謗。 ● 陸雲士曰:積德可以邀天,力耕可以邀地,乃無意相邀而若邀之者,與邀名、邀利者迴異。 ● 龐天池曰:不仁可以邀富。
023 景有言之極幽,而實蕭索者,煙雨也;境有言之極雅,而實難堪者,貧病也;聲有言之極韻,而實粗鄙者,賣花聲也。	● 謝海翁曰:物有言之極俗,而實可愛者,阿堵物也。 ● 張竹坡曰:我幸得極雅之境。
024 才子而富貴,定從福、慧雙修得來。	● 冒青若曰:才子富貴難兼。若能運用富貴纔是才子,纔是福慧雙修。世豈無才子而富貴者乎?徒自

	貪著，無濟于人，仍是有福無慧。 ● 陳鶴山曰：釋氏云：「修福不修慧，象身掛瓔珞；修慧不修福，羅漢供應薄。」正以其難兼耳，山翁發為此論，直是夫子自道。 ● 江含徵曰：寧可拚一付菜園肚皮，不可有一副酒肉面孔。
025 新月恨其易沉，缺月恨其遲上。	● 孔東塘曰：我唯以月之遲早，為睡之遲早耳。 ● 孫松坪曰：第勿使浮雲點綴塵滓太清足矣。 ● 冒青若曰：天道忌盈，沉與遲，請君勿恨。 ● 張竹坡曰：易沉、遲上，可以卜君子之進退。
026 躬耕吾所不能，學灌園而已矣；樵薪吾所不能，學薙草而已矣。	● 汪扶晨曰：不為老農，而為老圃，可云半箇樊遲。 ● 釋菌人曰：以灌園、薙草，自任自待，可謂不薄；然筆端隱隱有非其種者；鋤而去之之意。 ※1.王司直曰：予自名為識字農夫，得毋妄甚！
027 一恨書囊易蛀，二恨夏夜有蚊，三恨月臺易漏，四恨菊葉多焦，五恨松多大	● 江菊荖曰：黃山松並無大蟻，可以不恨。 ● 張竹坡曰：安得諸恨

蟻，六恨竹多落葉，七恨桂荷易謝，八恨薜蘿藏虺，九恨架花生刺，十恨河豚多毒。	物，盡有黃山乎！ ● 石天外曰：予另有二恨：一曰才人無行，二曰佳人薄命。
028 樓上看山，城頭看雪，燈前看月，舟中看霞，月下看美人，另是一番情境。	● 江允凝曰：黃山看雲，更佳。 ● 倪永清曰：做官時看進士，分金處看文人。 ● 畢右萬曰：予每于雨後看柳，覺塵襟俱滌。 ● 尤謹庸曰：山上看雪，雪中看花，花中看美人，亦可。
029 山之光，水之聲，月之色，花之香，文人之韻致，美人之姿態，皆無可名狀，無可執著，真足以攝召魂夢，顛倒情思。	● 吳街南曰：以極有韻致之文人，與極有姿態之美人，共坐于山水花月間。不知此時魂夢何如？情思何如？
030 假使夢能自主，雖千里無難命駕，可不羨長房之縮地；死者可以晤對，可不需少君之招魂；五嶽可以臥遊，可不俟婚嫁之盡畢。	● 黃九煙曰：予嘗謂鬼有時勝于人，正以其能自主耳。 ● 江含徵曰：吾恐上窮碧落下黃泉，兩地茫茫皆不見也。 ● 張竹坡曰：夢魂能自主，則可一生死、通人鬼，真見道之言也。
031 昭君以和親而顯，劉蕡以下第而傳，可謂之不幸，	● 江含徵曰：若故折黃雀腿而後醫之，亦不可。 ● 尤悔菴曰：不然一老官

不可謂之缺陷。	人，一低進士耳。
032 以愛花之心愛美人，則領 略自饒別趣；以愛美人之 心愛花，則護惜倍有深情。	● 冒辟疆曰：能如此，方 是真領略，真護惜也！ ● 張竹坡曰：花與美人何 幸遇此東君！
033 美人之勝於花者，解語 也；花之勝於美人者，生 香也。二者不可得兼，舍 生香而取解語者也。	● 王勿翦曰：飛燕吹氣若 蘭，合德體自生香，薛 瑤英肌肉皆香，則美人 又何嘗不生香也！
034 窗內人於窗紙上作字，吾 於窗外觀之，極佳。	● 江含徵曰：若索債人于 窗外紙上畫，吾且望之 卻走矣！
035 少年讀書，如隙中窺月； 中年讀書，如庭中望月； 老年讀書，如臺上玩月。 皆以閱歷之淺深，為所得 之淺深耳。	● 黃交三曰：真能知讀書 痛癢者也。 ● 張竹坡曰：吾叔此論， 直置身廣寒宮裏，下視 大千世界，皆清光似水 矣。 ● 畢右萬曰：吾以為學 道，亦有淺深之別。
036 吾欲致書雨師：春雨宜始 于上元節後（觀燈已畢）， 至清明十日前之內（雨止 桃開），及穀雨節中；夏 雨宜於每月上弦之前，及 下弦之後（免礙于月）； 秋雨宜于孟秋、季秋之上 下二旬（八月為玩月勝 境）；至若三冬，正可不 必雨也。	● 孔東塘曰：君若果有此 牘，吾願作致書郵也。 ● 余生生曰：使天而雨 粟，雖自元旦雨至除 夕，亦未為不可。 ● 張竹坡曰：此書獨不致 于巫山雨師。

037 為濁富不若為清貧；以憂生不若以樂死。	● 李聖許曰：順理而生，雖憂不憂；逆理而死，雖樂不樂。 ● 吳野人曰：我寧願為濁富。 ● 張竹坡曰：我願太奢，欲為清富，焉能遂願？
038 天下唯鬼最富，生前囊無一文，死後每饒楮鏹；天下唯鬼最尊，生前或受欺凌，死後必多跪拜。	● 吳野人曰：世於貧士，輒目為窮鬼，則又何也？ ● 陳康疇曰：窮鬼若死，即並稱尊矣。
039 蝶為才子之化身，花乃美人之別號。	● 張竹坡曰：蝶入花房香滿衣，是反以金屋貯才子矣。
040 因雪想高士，因花想美人，因酒想俠客，因月想好友，因山水想得意詩文。	● 弟木山曰：余每見人一長一技，即思效之；雖至瑣屑，亦不厭也，大約是愛博而情不專。 ● 張竹坡曰：多情語，令人泣下。 ● 尤謹庸曰：因得意詩文想心齋矣。 ● 李季子曰：此善于設想者。 ● 陸雲士曰：臨川謂：「想內成，因中見」，與此相發。

041 聞鵝聲如在白門，聞櫓聲如在三吳，聞灘聲如在湘江，聞贏馬項下鈴鐸聲，如在長安道上。	● 聾晉人曰：南無觀世音菩薩摩訶薩。 ● 倪永清曰：眾音寂滅時，又作麼生話會。
042 一歲諸節，以上元為第一，中秋次之，五日、九日又次之。	● 張竹坡曰：一歲當以我暢意日為佳節。 ● 顧天石曰：躋上元於中秋之上，未免尚耽綺習。
043 雨之為物，能令晝短，能令夜長。	● 張竹坡曰：雨之為物，能令天閉眼，能令地生毛，能為水國廣封疆。
044 古之不傳于今者，嘯也、劍術也、彈棋也、打毬也。	● 黃九煙曰：古之絕勝于今者，官妓、女道士也。 ● 張竹坡曰：今之絕勝於古者，能吏也、獪棍也、無恥也。 ※ 1.龐天池曰：今之必不能傳於後者，八股也。
045 詩僧時復有之，若道士之能詩者，不啻空谷足音，何也？	● 畢右萬曰：僧、道能詩，亦非難事，但惜僧、道不知禪元耳！ ● 顧天石曰：道于三教中原屬第三，應是根器最鈍人做，那得會詩？軒轅彌明，昌黎寓言耳。 ● 尤謹庸曰：僧家勢利第一，能詩次之。 ● 倪永清曰：我所恨者，辟穀之法不傳。

046 當為花中之萱草，毋為鳥中之杜鵑。	□2. 袁翔甫補評曰：萱草忘憂，杜鵑啼血，悲歡哀樂，何去何從？
047 物之穉者，皆不可厭，唯驢獨否。	● 黃略似曰：物之老者皆可厭，惟松與梅則否。 ● 倪永清曰：惟癖于驢者，則不厭之。
048 女子自十四、五歲，至二十四、五歲，此十年中，無論燕、秦、吳、越，其音大都嬌媚動人，一覩其貌，則美惡判然矣。耳聞不如目見，於此益信。	● 吳聽翁曰：我向以耳根之有餘，補目力之不足。今讀此，乃知卿言亦復佳也。 ● 江含徵曰：簾為妓衣，亦殊有見。 ● 張竹坡曰：家有少年、醜婢者，當令隔屏私語，滅燭侍寢何如？ ● 倪永清曰：若逢美貌而惡聲者，又當如何？
049 尋樂境乃學仙，避苦趣乃學佛。佛家所謂「極樂世界」者，蓋謂眾苦之所不到也。	● 江含徵曰：著敗絮，行荊棘中，固是苦事；彼披忍辱鎧者，亦未得優遊自到也。 ● 陸雲士曰：空諸所有，受即是空，其為苦樂，不足言矣，故學佛優于學仙。
050 富貴而勞悴，不若安閒之貧賤；貧賤而驕傲，不若謙恭之富貴。	● 曹實菴曰：富貴而又安閒，自能謙恭也。 ● 許師六曰：富貴而又謙

	恭，乃能安閒耳。
	● 張竹坡曰：謙恭安閒，乃能長富貴也。
	● 張迂菴曰：安閒乃能驕傲，勞悴則必謙恭。
051 目不能自見，鼻不能自嗅，舌不能自舐，手不能自握，惟耳能自聞其聲。	● 弟木山曰：豈不聞心不在焉，聽而不聞乎？兄其誑我哉！
	● 張竹坡曰：心能自信。
	※1.釋師昂曰：古德云：「眉與目不相識，只為太近。」
052 凡聲皆宜遠聽，惟聽琴則遠近皆宜。	● 王名友曰：松濤聲、瀑布聲、簫聲、笛聲、潮聲、讀書聲、鐘聲、梵聲，皆宜遠聽。惟琴聲、度曲聲、雪聲，非至近不能得其離合抑揚之妙。
	※1.龐天池曰：凡色皆宜近看，惟山色遠近皆宜。
053 目不能識字，其悶尤過于盲；手不能執管，其苦更甚於啞。	● 陳鶴山曰：君獨未知今不識字、不握管者，其樂尤甚于不盲、不啞者也。
054 並頭聯句、交頸論文，宮中應制，厭使屬國，皆極人間樂事。	● 狄立人曰：既已並頭交頸，即欲聯句論文，恐亦有所不暇。
	● 汪舟次曰：厭使屬國，殊不易易。
	● 孫松坪曰：邯鄲舊夢，

	對此惘然。
	● 張竹坡曰：並頭交頸，樂事也；聯句論文，亦樂事也；是以兩樂并為一樂者，則當以兩夜并一夜方妙；然其樂一刻，勝於一日矣。
	● 沈契掌曰：恐天亦見妒。
055 《水滸傳》，武松詰蔣門神云：「為何不姓李？」此語殊妙。蓋姓實有佳有劣，如華、如柳、如雲、如蘇、如喬，皆極風韻。若夫毛也、賴也、焦也、牛也，則皆塵於目而辣於耳者也。	● 先渭求曰：然則君為何不姓李耶？ ● 張竹坡曰：止聞今張昔李，不聞今李昔張也。
056 花之宜於目，而復宜於鼻者：梅也、菊也、蘭也、水仙也、珠蘭也、蓮也。止宜於鼻者：櫞也、桂也、瑞香也、梔子也、茉莉也、木香也、玫瑰也、臘梅也，餘則皆宜于目者也。花與葉俱可觀者：秋海棠為最，荷次之，海棠、酴醾、虞美人、水仙又次之。葉勝于花者，止雁來紅、美人蕉而已。花與葉俱不足觀者：紫薇也、辛夷也。	● 周星遠曰：山老可當花陣一面。 ● 張竹坡曰：以一葉而能勝諸花者，此君也。

057 高語山林者，輒不喜談市朝事，審若此，則當並廢《史》、《漢》諸書而不讀矣，蓋諸書所載者，皆古之市朝也。	● 張竹坡曰：高語者，必是虛聲處士；真入山者，方能經綸市朝。
058 雲之為物，或崔巍如山，或澂瀲如水，或如人，或如獸，或如鳥羣，或如魚鱗，故天下萬物皆可畫，惟雲不能畫。市所畫雲，亦強名耳。	● 何蔚宗曰：天下百官皆可做，惟教官不可做，做教官者，皆謫戍耳。 ● 張竹坡曰：雲有反面、正面，有陰陽向背，有層次內外，細觀其與日相映，則知其明處乃一面，暗處又一面。嘗謂古今無一畫雲手，不謂《幽夢影》中，先得我心。
059 值太平世，生湖山郡，官長廉靜，家道優裕，娶婦賢淑，生子聰慧，人生如此，可云全福。	● 許篠林曰：若以粗笨愚蠢之人當之，則負卻造物。 ● 江含徵曰：此是黑面老子，要思量做鬼處。 ● 吳岱觀曰：過屠門而大嚼，雖不得肉，亦且快意。 ● 李荔園曰：賢淑聰慧，尤貴永年，否則福不全。
060 天下器玩之類，其製日工，其價日賤，毋惑乎民之貧也。	● 張竹坡曰：由於民貧，故益工而益賤，若不貧如何肯賤？
061 養花膽瓶，其式之高低大小，須與花相稱，而色之淺深濃淡，又須與花相反。	● 程穆倩曰：足補袁中郎瓶史所未逮。 ● 張竹坡曰：夫如此有不甘去南枝而生香于几案之右

	者乎？名花心足矣！ ※1.王宓草曰：須知相反者，正欲其相稱也。
062 春雨如恩詔，夏雨如赦書，秋雨如輓歌。	● 張諧石曰：我輩居恒苦飢，但願夏雨如饅頭耳。 ● 張竹坡曰：赦書太多，亦不甚妙。
063 十歲為神童，二十、三十為才子，四十、五十為名臣，六十為神仙，可謂全人矣！	● 江含徵曰：此却不可知。蓋神童原有仙骨故也，祇恐中間做名臣時，墮落名利場中耳。 ● 楊聖藻曰：人孰不想，難得有此全福。 ● 張竹坡曰：神童、才子由于己，可能也；臣由于君，仙由于天，不必可也。 ● 顧天石曰：六十神仙，似乎太早。
064 武人不苟戰，是為武中之文；文人不迂腐，是為文中之武。	● 梅定九曰：近日文人不迂腐者，頗多，心齋亦其一也。 ● 顧天石曰：然則心齋直謂之武夫可乎？笑笑！ ※1.王司直曰：是真文人，必不迂腐。
065 文人講武事，大都紙上談兵；武將論文章，半屬道聽塗說。	● 吳街南曰：今之武將講武事，亦屬紙上談兵。今之文人論文章，大都道聽塗說。

066 斗方止三種可存；佳詩文一也，新題目二也，精歙式三也。	● 閔賓連曰：近年斗方名士甚多，不知能入吾心齋轂中否也？
067 情必近于癡而始真，才必兼乎趣而始化。	● 陸雲士曰：真情種，真才子，能為此言。 ● 顧天石曰：才兼乎趣，非心齋不足當之。 ● 尤慧珠曰：余情而癡則有之，才而趣，則未能也。
068 凡花色之嬌媚者，多不甚香；瓣之千層者，多不結實；甚矣，全才之難也，兼之者，其為蓮乎？	● 殷日戒曰：花、葉、根、實，無所不空，亦無不適于用，蓮則全有其德者也。 ● 貫玉曰：蓮花易謝，所謂有全才，而無全福也。 ● 王丹麓曰：我欲荔枝有好花，牡丹有佳實，方妙。 ● 尤謹庸曰：全才必為人所忌，蓮花故名君子。
069 著得一部新書，便是千秋大業；注得一部古書，允為萬世宏功。	● 黃交三曰：世間難事，注書第一。大要於極尋常處，要看出作者苦心。 ● 張竹坡曰：注書無難，天使人得安居無累，有可以注書之時與地難為耳。
070 延名師訓子弟，入名山習舉業，丐名士代捉刀，三者都無是處。	● 陳康疇曰：大抵名而已矣，好歹原未必著意。 ● 殷日戒曰：況今日之所謂名乎？
071 積畫以成字，積字以成	● 陳康疇曰：天下事從意

句，積句以成篇，謂之文。文體日增，至八股而遂止。如古文、如詩、如賦、如詞、如曲、如說部、如傳奇小說，皆自無而有，方其未有之時，固不料後來之有此一體也。逮既有此一體之後，又若天造地設，為世必應有之物。然自明以來，未見有創一體裁新人耳目者，遙計百年之後，必有其人，惜乎不及見耳！

起，山來今日既作此想，安知其來生不即為此筆翻新之士乎？惜乎，今人不及知耳。

● 陳鶴山曰：此先生應以創體身得度者，即現創體身而設法。

● 孫愷似曰：讀心齋別集、拈四子書題，以五、七言韻體行之，無不入妙，嘆其獨絕，此則直可當先生自序也。

● 張竹坡曰：見及於此，是必能創之者，吾拭目以待新裁。

072

雲映日而成霞，泉挂巖而成瀑，所托者異，而名亦因之，此友道之所以可貴也。

● 張竹坡曰：非日而雲不映，非巖而泉不挂，此友道之所以當擇也。

073

大家之文，吾愛之、慕之，吾願學之；名家之文，吾愛之、慕之，吾不敢學之。學大家而不得，所謂刻鵠不成尚類鶩也；學名家而不得，則是畫虎不成反類狗矣。

● 黃舊樵曰：我則異於是，最惡世之貌為大家者。

● 殷日戒曰：彼不曾闖其藩籬，烏能窺其閫奧，只說得隔壁話耳。

● 張竹坡曰：今人讀得一兩句，名家便自稱大家矣。

◎3.王安節曰：大家是學問，名家是才華。

074 由戒得定，由定得慧，勉強漸近，自然鍊精化氣，鍊氣化神，清虛有何渣滓？	● 袁中江曰：此二氏之學也，吾儒何獨不然？ ● 陸雲士曰：《楞嚴經》、《參同契》精義盡涵在內。 ● 尤悔菴曰：極平常語，然道在是矣。
075 南北東西，一定之位也；前後左右，無定之位也。	● 張竹坡曰：聞天地晝夜旋轉，則此東西南北，亦無定之位也。或者天地外貯此天地者，當有一定耳。
076 予嘗謂二氏不可廢，非襲夫大養濟院之陳言也。蓋名山勝境，我輩每思褰裳就之。使非琳宮、梵剎，則倦時無可駐足，飢時誰與授餐？忽有疾風暴雨，五大夫果真足恃乎？又或邱壑深邃，非一日可了，豈能露宿以待明日乎？虎豹蛇虺，能保其不為人患乎？又或為士大夫所有，果能不問主人，任我之登陟憑弔而莫之禁乎？不特此也，甲之所有，乙思起而奪之，是啟爭端也；祖父之所創建，子孫貧力不能修葺，其傾頹之狀，反足令山川減色矣。然此特就名山勝境言之耳，即城市之內，與夫四達之衢，亦不可少此一種。客遊可	● 釋中洲曰：此論一出，量無慳檀越矣。 ● 張竹坡曰：如此處置此輩甚妥。但不得令其于人家喪事誦經，吉事拜懺，裝金為像，鑄銅作身，房如宮殿，器、御、鐘、鼓，動說因果，雖飲酒、食肉，娶妻、生子，總無不可。 ● 石天外曰：天地生氣，大抵五十年一聚。生氣一聚，必有刀兵、飢饉、瘟疫，以收其生氣；此古今一治一亂必然之數也。自佛入中國，用剃度出家法，絕其後嗣，天地蓋欲以佛節古今之生氣也，所以唐宋元明以來，剃度者多，而刀兵劫數，稍減於春秋戰國秦漢諸時也。然則佛氏，且未必無功於天地，寧特人類已哉！

做居停,一也;長途可以稍憩,二也;夏之茗、冬之薑湯,復可以濟役夫負載之困,三也。凡此皆就事理言之,非二氏福報之說也。	※1.顧天石曰:所以名家畫山水,不離梵宇琳宮。
077 雖不善書,而筆硯不可不精;雖不業醫,而驗方不可不存;雖不工弈,而楸枰不可不備。	● 江含徵曰:雖不善飲,而良醞不可不藏;此坡仙之所以為坡仙也。 ● 顧天石曰:雖不好色,而美女、妖童不可不蓄。 ● 畢右萬曰:雖不習武,而弓矢不可不張。
078 方外不必戒酒,但須戒俗;紅裳不必通文,但須得趣。	● 朱其恭曰:以不戒酒之方外,遇不通文之紅裳,必有可觀。 ● 陳定九曰:我不善飲,而方外不飲者,誓不與之語;紅裳若不識趣,亦不樂與近。 ● 釋浮村曰:得居士此論,我輩可放心豪飲矣。 ※1.弟東圍曰:方外並戒了化緣方妙。
079 梅邊之石宜古,松下之石宜拙,竹傍之石宜瘦,盆內之石宜巧。	● 周星遠曰:論石至此,直可作九品中正。 ● 釋中洲曰:位置相當,足見胸次。
080 律己宜帶秋氣,處世宜帶春氣。	● 孫松揪曰:君子所以有矜群而無爭黨也。 ● 胡靜夫曰:合夷惠為一

	人，吾願親炙之。
	● 尤悔菴曰：皮裡春秋。
081 厭催租之敗意，亟宜早早完糧；喜老衲之談禪，難免常常布施。	● 釋中洲曰：居士輩之實情，吾僧家之私冀，直被一筆寫出矣。
	● 晊尊者曰：我不會談禪，亦不敢妄求布施，惟閑寫青山賣耳。
082 松下聽琴，月下聽簫，澗邊聽瀑布，山中聽梵唄，覺耳中別有不同。	● 張竹坡曰：其不同處，有難于向不知者道。
	● 倪永清曰：識得「不同」二字，方許享此清聽。
083 月下聽禪，旨趣益遠；月下說劍，肝膽益真；月下論詩，風致益幽；月下對美人，情意益篤。	● 袁士旦曰：溽暑中赴華筵，冰雪中應考試，陰雨中對道學，先生與此況味何如？
084 有地上之山水，有畫上之山水，有夢中之山水，有胸中之山水。地上者妙在邱壑深邃；畫上者妙在筆墨淋漓；夢中者妙在景象變幻；胸中者妙在位置自如。	● 周星遠曰：心齋《幽夢影》中文字，其妙亦在景象變幻。
	● 殷日戒曰：若詩文中之山水，其幽深變幻，更不可以名狀。
	● 江含徵曰：但不可有面上之山水。
	● 余香祖曰：余境況不佳，水窮山盡矣。
085 一月之計種蕉，一歲之計種竹，十年之計種柳，百年之計種松。	● 周星遠曰：千秋之計，其著書乎？
	● 張竹坡曰：百世之計種德。

086 春雨宜讀書，夏雨宜弈棋，秋雨宜檢藏，冬雨宜飲酒。	● 周星遠曰：四時惟秋雨最難聽。然予謂無分今雨、舊雨，聽之要皆宜于飲也。
087 詩、文之體得秋氣為佳，詞、曲之體得春氣為佳。	● 江含徵曰：調有慘澹、悲傷者亦須相稱。 ● 殷日戒曰：陶詩、歐文，亦似以春氣勝。
088 抄寫之筆墨，不必過求其佳，若施之縑素，則不可不求其佳；誦讀之書籍，不必過求其備，若以供稽考，則不可不求其備；遊歷之山水，不必過求其妙，若因之卜居，則不可不求其妙。	● 冒辟疆曰：外遇之女色，不必過求其美，若以作姬妾，則不可不求其美。 ● 倪永清曰：觀其區處條理所在，經濟可知。 ※1.王司直曰：求其所當求，而不求其所不必求。
089 人非聖賢，安能無所不知？祇知其一，惟恐不止其一，復求知其二者，上也。止知其一，因人言始知有其二者，次也。止知其一，人言有二而莫之信者，又其次也。止知其一，惡人言有其二者，斯下之下矣。	● 周星遠曰：兼聽則聰，心齋所以深于知也。 ● 倪永清曰：聖賢大學問，不意于清語得之。

090 史官所紀者，直世界也； 職方所載者，橫世界也。	● 袁中江曰：眾宰官所治者，斜世界也。 ● 尤悔菴曰：普天下所行者，混沌世界也。 ● 顧天石曰：吾嘗思天上之天堂，何處築基？地下之地獄，何處出氣？世界固有不可思議者。
091 先天八卦，竪看者也；後天八卦，橫看者也。	● 吳街南曰：橫看、竪看，皆看不著。 ※1. 錢目天曰：何如袖手旁觀？
092 藏書不難，能看為難；看書不難，能讀為難；讀書不難，能用為難；能用不難，能記為難。	● 洪去蕪曰：心齋以能記次于能用之後，想亦苦記性不如耳，世固有能記而不能用者。 ● 王端人曰：能記、能用，方是真藏書人。 ● 張竹坡曰：能記固難，能行尤難。
093 求知己於朋友易，求知己於妻妾難，求知己於君臣則尤難之難。	● 王名友曰：求知己於妾易，求知己於妻難，求知己于有妾之妻尤難。 ● 張竹坡曰：求知己于兄弟亦難。 ● 江含徵曰：求知己于鬼神，則反易耳。
094 何謂善人？無損於世者則謂之善人；何謂惡人？有	● 江含徵曰：倘有害于世，而反邀善人之譽，此寔為好利而顯為名高者，則又

害于世者則謂之惡人。	惡人之尤。
095 有工夫讀書，謂之福；有力量濟人，謂之福；有學問著述，謂之福；無是非到耳，謂之福；有多聞直諒之友，謂之福。	● 殷日戒曰：我本薄福人，宜行求福事，在隨時儆醒而已。 ● 楊聖藻曰：在我者可必，在人者不能必。 ● 王丹麓曰：備此福者，惟我心齋。 ● 李水樵曰：五福駢臻固佳，苟得其半者，亦不得謂之無福。 ● 倪永清曰：直、諒之友，富貴人久拒之矣，何心齋反求之也？
096 人莫樂於閒，非無所事事之謂也；閒則能讀書，閒則能遊名勝，閒則能交益友，閒則能飲酒，閒則能著書；天下之樂，孰大於是？	● 陳鶴山曰：然則正是極忙處。 ● 黃交三曰：「閒」字前有止敬功夫，方能到此。 ● 尤悔菴曰：昔人云：「忙裡偷閒。」閒而可偷，盜亦有道矣。 ● 李若金曰：閒固難得，有此五者，方不負「閒」字。
097 文章是案頭之山水，山水是地上之文章。	● 李聖許曰：文章必明秀，方可作案頭山水；山水必曲折，乃可名地上之文章。
098 平上去入，乃一定之至理，然入聲之為字也少，	● 石天外曰：中州韻無入聲，是有夫無婦，天下皆成曠夫世界矣。

不得謂凡字皆有四聲也。世之調平仄者，于入聲之無其字者，往往以不相合之音隸於其下，為所隸者，苟無平上去之三聲，則是以寡婦配鰥夫，猶之可也，若所隸之字，自有其平上去之三聲，而欲強以從我，則是干有夫之婦矣，其可乎？姑就詩韻言之：如東、冬韻無入聲者也，今人盡調之以東、董、凍、督，夫「督」之為音，當附於都、睹、妒之下，若屬之於東、董、凍，又何以處夫都、睹、妒乎？若東、都二字，俱以「督」字為入聲，則是一婦而兩夫矣，三江無入聲者也，今人盡調之以江、講、絳、覺，殊不知「覺」之為音，當附於交、絞、教之下者也，諸如此類，不勝其舉。然則，如之何而後可？曰鰥者聽其鰥，寡者聽其寡，夫婦全者安其全，各不相干而已矣（東、冬、歡、桓、寒、山、真、文、元、淵、先、天、庚、青、侵、鹽、咸諸部，皆無入聲者也。屋、沃、內、如、禿、獨、鵠、束等字，乃魚虞韻內都圖等字之入聲。卜、木、六、僕等字，

乃五歌部之入聲。玉、菊、獄、育等字，乃尤部之入聲。三覺十藥當屬于蕭、肴、豪；質、錫、職、緝當屬於支、微、齊。質內之桔、卒，物內之鬱、屈當屬於虞、魚；物內之勿、物等音，無平上去者也。訖、乞等四支之入聲也。陌部乃佳、灰之半開來等字之入聲也；月部之月、厥、闕、謁等，及屑、葉二部，古無平上去，而今則為中州韻內車遮之入聲也。伐、髮等字及曷部之括、适及八黠全部，又十五合內諸字，又十七洽全部，皆六麻之入聲也。曷內之撮、闊等字；合部之合、盒數字，皆無平上去者也。若以緝、合、葉、洽為閉口韻，則止當謂之無平上去之寡婦，而不當調之以侵、寢、緝、咸、喊、陷、洽也）。

099

《水滸傳》是一部怒書，《西遊記》是一部悟書，《金瓶梅》是一部哀書。

● 江含徵曰：不會看《金瓶梅》，而只學其淫，是愛東坡者，但喜吃東坡肉耳。

● 殷日戒曰：《幽夢影》是一部快書。

● 朱其恭曰：余謂《幽夢影》是一部趣書。

	◎3. 龐天池曰：《幽夢影》是一部恨書，又是一部禪書。
100 讀書最樂，若讀史書則喜少怒多，究之怒處亦樂處也。	● 張竹坡曰：讀到喜怒俱忘，是大樂境。 ● 陸雲士曰：余嘗有句云：「讀《三國志》無人不為劉，讀《南宋書》無人不冤岳。」第人不知怒處亦樂處耳，怒而能樂，惟善讀史者知之。
101 發前人未發之論，方是奇書；言妻子難言之情，乃為密友。	● 孫愷似曰：前二語是心齋著書本領。 ● 畢右萬曰：奇書我却有數種，如人不肯看何！ ● 陸雲士曰：《幽夢影》一書，所發者皆未發之論，所言者皆難言之情，欲語羞雷同，可以題贈。 ◎3. 龐天池曰：前句夫子自道也，後句夫子癡想也。
102 一介之士，必有密友。密友不必定是刎頸之交，大率雖千百里之遙，皆可相信，而不為浮言所動；聞有謗之者，即多方為之辯析而後已；事之宜行宜止者，代為籌畫決斷；或事當利害關頭，有所需而後濟者，即不必與聞，亦不慮其負我與否，竟為力承	● 殷日戒曰：後段更見懇切周詳，可以想見其為人矣。 ● 石天外曰：如此密友，人生能得幾個，僕願心齋先生當之。

其事;此皆所謂密友也。	
103 風流自賞,祇容花鳥趨陪;真率誰知,合受煙霞供養。	● 江含徵曰:東坡有云:「當此之時,若有所思,而無所思。」
104 萬事可忘,難忘者名心一段;千般易淡,未淡者美酒三杯。	● 張竹坡曰:是閒難起舞,酒後耳熱氣象。 ● 王丹麓曰:予性不耐飲,美酒亦易淡,所最難忘者,名耳! ● 陸雲士曰:惟恐不好名,丹麓此言,具見真處。
105 芰荷可食,而亦可衣;金石可器,而亦可服。	● 張竹坡曰:然後知濂溪不過為衣食計耳。 ※1.王司直曰:今之為衣食計者,果似濂溪否?
106 宜於耳復宜於目者,彈琴也,吹簫也;宜於耳不宜於目者,吹笙也,搊管也。	● 李聖許曰:宜於目不宜于耳者,獅子吼之美婦人也;不宜于目,並不宜于耳者,面目可憎、語言無味之紈袴子也。 ※1.龐天池曰:宜於耳復宜於目者,巧言令色也。
107 看晚粧宜于傅粉之後。	● 余淡心曰:看晚粧,不知心齋以為宜于何時? ● 周冰持曰:不可說!不可說! ● 黃交三曰:水晶簾下看梳頭,不知爾時曾傅粉否? ※1.龐天池曰:看殘粧宜於微醉後,然眼花撩亂矣。

108 我不知我之生前，當春秋之季，曾一識西施否？當典午之時，曾一看衛玠否？當義熙之世，曾一醉淵明否？當天寶之代，曾一覻太真否？當元豐之朝，曾一晤東坡否？千古之上，相思者不止此數人，而此數人，則其尤甚者，故姑舉之，以概其餘也。	● 楊聖藻曰：君前生曾與諸君周旋，亦未可知，但今生忘之耳。 ● 紀伯紫曰：君之前生，或竟是淵明、東坡諸人，亦未可知。 ● 王名友曰：不特此也，心齋自云：「願來生為絕代佳人。」又安知西施、太真，不即為其前生耶？ ● 鄭破水曰：贊嘆愛慕，千古一情。美人不必為妻妾，名士不必為朋友，又何必問之前生也耶？心齋真情癡也。 ● 陸雲士曰：余嘗有詩曰：「自昔聞佛言，人有輪迴事，前生為古人，不知何姓氏？」或覽青史中，若與他人遇，竟與心齋同情，然大遜其奇快。 ※1. 余香祖曰：我亦欲搔首問青天。
109 我又不知在隆、萬時，曾於舊院中交幾名妓？眉公、伯虎、若士、赤水諸君，曾共我談笑幾回？茫茫宇宙，我今當向誰問之耶？	● 江含徵曰：死者有知，則良晤匪遙。如各化為異物，吾末如之何也已。 ● 顧天石曰：具此襟情，百年後當有恨不？與心齋周旋者，則吾幸矣。
110 文章是有字句之錦繡，錦	□2. 袁翔甫補評曰：若蘭迴文是

繡是無字句之文章,兩者同出于一原,姑即粗跡論之,如金陵,如武林,如姑蘇,書林之所在,即機杼之所在也。

有字句之錦繡也,落花水面是無字句之文章也。

111

予嘗集諸法帖字為詩。字之不複而多者,莫善于《千字文》,然詩家目前常用之字,猶苦其未備。如天文之煙、霞、風、雪,地理之江、山、塘、岸,時令之春、宵、曉、暮,人物之翁、僧、漁、樵,花木之花、柳、苔、萍,鳥獸之蜂、蝶、鶯、燕,宮室之臺、檻、軒、窗,器用之舟、船、壺、杖,人事之夢、憶、愁、恨,衣服之裘、袖、錦、綺,飲食之茶、漿、飲、酌,身體之鬢、眉、韻、態,聲色之紅、綠、香、豔,文史之騷、賦、題、吟,數目之一、三、雙、半,皆無其字。《千字文》且然,況其他乎?

● 黃仙裳曰:山來此種詩,竟似為我而設。

● 顧天石曰:使其皆備,則《千字文》不為奇矣。吾嘗於《千字文》外另集千字而已,不可復得。更奇!

112

花不可見其落,月不可見其沉,美人不可見其夭。

● 朱其恭曰:君言謬矣,洵如所云,則美人必見其髮白齒豁而後快耶?

113

種花須見其開,待月須見

● 王璞菴曰:此條與上條互相發明,蓋曰:「花不可見

其滿，著書須見其成，美人須見其暢適，方有實際，否則皆為虛設。	其落耳，必須見其開也。」
114 惠施多方，其書五車，虞卿以窮愁著書，今皆不傳。不知書中果作何語？我不見古人，安得不恨？	● 王仔園曰：想亦與《幽夢影》相類耳。 ● 顧天石：古人所讀之書，所著之書，若不被秦人燒盡，則奇奇怪怪，可供今人刻畫者，知復何限？然如《幽夢影》等書出，不必思古人矣。 ● 倪永清曰：有著書之名，而不見書，省人多少指摘！ ※1.龐天池曰：我獨恨古人不見心齋。
115 以松花為量，以松實為香，以松枝為麈尾，以松陰為步障，以松濤為鼓吹；山居得喬松百餘章，真乃受用不盡。	● 施愚山曰：君獨不記曾有松多大蟻之恨耶？ ● 江含徵曰：松多大蟻，不妨便為蟻王。 ● 石天外曰：坐喬松下，如在水晶宮中，見萬頃波濤，總在頭上，真仙境也。
116 玩月之法，皎潔則宜仰觀，朦朧則宜俯視。	● 孔東塘曰：深得玩月三昧。 ◎3.王安節曰：皎潔，則登高岡峻嶺，撫孤松，歌咏以觀之；朦朧，則遊平陸，與一二密友話舊以觀之，似宜之中更有所宜。
117 孩提之童，一無所知，目	◎3.王子直曰：可以不能者，天則聽其不能；不可不能者，

不能辨美惡，耳不能判清濁，鼻不能別香臭。至若味之甘苦，則不第知之，且能取之、棄之。告子以甘食，悅色為性，殆指此類耳。

天即使之皆能。可見天之用心獨周至。若告子之所謂食色，恐非此類。以五官之嗜好，皆本於性也。

□ 2. 袁翔甫補評曰：於禽獸又何異焉。

118

凡事不宜刻，若讀書則不可不刻；凡事不宜貪，若買書則不可不貪；凡事不宜癡，若行善則不可不癡。

● 余淡心曰：讀書不可不刻，請去一「讀」字，移以贈我何如？

● 張竹坡曰：我為刻書累，請並去一「不」字。

● 楊聖藻曰：行善不癡，是邀名矣。

119

酒可好，不可罵座；色可好，不可傷生；財可好，不可昧心；氣可好，不可越理。

● 袁中江曰：如灌夫使酒，文園病肺，昨夜南塘一出，馬上挾章臺柳歸。亦自無妨，覺愈見英雄本色也。

◎ 3. 王宓草曰：可以立品，可以養生，可以治心。

120

文名可以當科第，儉德可以當貨財，清閒可以當壽考。

● 轟晉人曰：若名人而登甲第，富翁而不驕奢，壽翁而又清閒，便是蓬壺三島中人也。

● 范汝受曰：此亦是貧賤文人無所事事自為慰藉云耳，恐亦無實在受用處也。

● 曾青藜曰：無事此靜坐，一日似兩日，若活七十年，便是百四十，此是清閒當壽考注腳。

	● 石天外曰：得老子退一步法。 ● 顧天石曰：予生平喜遊，每逢佳山水，輒留連不去，亦自謂可當園亭之樂。質之心齋，以為然否？
121 不獨誦其詩讀其書，是尚友古人，即觀其字畫，亦是尚友古人處。	● 張竹坡曰：能友字畫中之古人，則九原皆為之感泣矣！
122 無益之施捨，莫過於齋僧；無益之詩文，莫甚于祝壽。	● 張竹坡曰：無益之心思，莫過於憂貧；無益之學問，莫過於務名。 ● 殷簡堂曰：若詩文有筆資，亦未嘗不可。 ※1.龐天池曰：有益之施捨，莫過於多送我《幽夢影》幾冊。
123 妾美不如妻賢，錢多不如境順。	● 張竹坡曰：此所謂竿頭欲進步者，然妻不賢安用妾美，錢不多那得境順？ ● 張迂菴曰：此蓋謂二者不可得兼，舍一而取一者也。又曰：世固有錢多而境不順者。
124 創新庵不若修古廟，讀生書不若溫舊業。	● 張竹坡曰：是真會讀書者，是真讀過萬卷書者，是真一書曾讀過數遍者。 ● 顧天石曰：惟《左傳》、《楚辭》、馬、班、杜、韓之詩文及《水滸》、《西廂》、《還魂》等書，雖

	讀百遍不厭，此外皆不耐溫者矣，奈何？
	※1.王安節曰：今世建生祠，又不若創茅庵。
125 字與畫同出一原，觀六書始於象形，則可知已。	● 江含徵曰：有不可畫之字，不得不用六法也。 ● 張竹坡曰：千古人未經道破，却一口拈出。
126 忙人園亭，宜與住宅相連；閒人亭園，不妨與住宅相遠。	● 張竹坡曰：真閒人，必以園亭為住宅。
127 酒可以當茶，茶不可以當酒；詩可以當文，文不可以當詩；曲可以當詞，詞不可以當曲；月可以當燈，燈不可以當月；筆可以當口，口不可以當筆；婢可以當奴，奴不可以當婢。	● 江含徵曰：婢當奴則太親，吾恐忽聞河東獅子吼耳。 ● 周星遠曰：奴亦有可當婢處，但未免稍遜耳。近時士大夫，往往耽此癖。吾輩馳驚之流，盜此虛名，亦欲效顰相尚，滔滔者天下皆是也，心齋豈未識其故乎？ ● 張竹坡曰：婢可以當奴者，有奴之所有者也。奴不以當婢者，有婢之所同有，無婢之所獨有者也。 ● 弟木山曰：兄于飲食之頃，恐月不可以當燈。 ● 余湘客曰：以奴當婢，小姐權時落後也。 ● 宗子發曰：惟帝王家不妨

	以奴當婢，蓋以有閹割法也。每見人家奴子出入主母臥房，亦殊可慮。
128 胸中小不平，可以酒消之；世間大不平，非劍不能消也。	● 周星遠曰：看劍引杯長，一切不平，皆破除矣。 ● 張竹坡曰：此平世的劍術，非隱娘輩所知。 ● 張迂菴曰：蒼蒼者未必肯以太阿假人，似不能代作空空兒也。 ● 尤悔菴曰：龍泉、太阿，汝知我者，豈止蘇子美以一斗讀《漢書》耶？
129 不得已而諛之者，寧以口，毋以筆。不可耐而罵之者，亦寧以口，毋以筆。	● 孫豹人曰：但恐未必能自主耳。 ● 張竹坡曰：上句立品，下句立德。 ● 張迂菴曰：匪惟立德，亦以免禍。 ● 顧天石曰：今人筆不諛人，更無用筆之處矣。心齋不知此苦，還是唐宋以上人耳。 ● 陸雲士曰：古筆銘曰：「毫毛茂茂，陷水可脫，陷文不活。」正此謂也。亦有諛以筆而寔譏之者，亦有罵以筆而若譽之者，總以不筆為高。
130 多情者必好色，而好色者未必盡屬多情；紅顏者必	● 張竹坡曰：情起于色者，則好色也，非情也；禍起于顏色者，則薄命在紅

薄命,而薄命者未必盡屬紅顏;能詩者必好酒,而好酒者未必盡屬能詩。	顏,否則亦止曰:命而已矣! ● 洪秋士曰:世亦有能詩而不好酒者。
131 梅令人高,蘭令人幽,菊令人野,蓮令人淡,春海棠令人艷,牡丹令人豪,蕉與竹令人韻,秋海棠令人媚,松令人逸,桐令人清,柳令人感。	● 張竹坡曰:美人令眾卉皆香,名士令群芳俱舞。 ● 尤謹庸曰:讀之驚才絕艷,堪採入《群芳譜》中。 ◎ 3.吳寶崖曰:《幽夢影》令人韻。 ◎ 3.陳留溪曰:心齋種種著作,皆能令饞。
132 物之能感人者,在天莫如月,在樂莫如琴,在動物莫如鵑,在植物莫如柳。	◎ 3.王宓草曰:於垂柳下對月彈琴,或聞杜鵑啼數聲,此時令人百感交集。 □ 2.袁翔甫補評曰:問之物而物不知其所以然也,問之人而人亦不知其何以故也。
133 妻子頗足累人,羨和靖梅妻鶴子;奴婢亦能供職,喜志和樵婢漁奴。	● 尤悔菴曰:梅妻鶴子,樵婢漁童,可稱絕對,人生眷屬,得此足矣。
134 涉獵雖曰無用,猶勝于不通古今;清高固然可嘉,莫流於不識時務。	● 黃交三曰:南陽抱黍時,原非清高者可比。 ● 江含徵曰:此是心齋經濟語。 ● 張竹坡曰:不合時宜,則可;不達時務,奚其可?

	● 尤悔菴曰：名言！名言！
135 所謂美人者，以花為貌，以鳥為聲，以月為神，以柳為態，以玉為骨，以冰雪為膚，以秋水為姿，以詩詞為心，吾無間然矣。	● 冒辟疆曰：合古今靈秀之氣，庶幾鑄此一人。 ● 江含徵曰：還要有松薪之操縷好。 ● 黃交三曰：論美人而曰以詩詞為心，真是聞所未聞。
136 蠅集人面，蚊噆人膚，不知以人為何物？	● 陳康疇曰：應是頭陀轉世，意中但求布施也。 ● 釋菌人曰：不堪道破。 ● 張竹坡曰：此南華精髓也。 ● 尤悔菴曰：正以人之血肉，祇堪供蠅蚊咀噆耳。以我視之人也，自蠅蚊視之，何異腥羶臭腐乎？ ● 陸雲士曰：集人面者，非蠅而蠅；噆人膚者，非蚊而蚊。明知其為人也，而集之、噆之，更不知其以人為何物？
137 有山林隱逸之樂，而不知享者，漁樵也，農圃也，緇黃也；有園亭姬妾之樂，而不能享、不善享者，富商也，大僚也。	● 弟木山曰：有山珍海錯而不能享者，庖人也；有牙籤玉軸而不能讀者，蠹魚也，書賈也。
138 黎舉云：「欲令梅聘海棠，棖子（想是橙）臣櫻桃，以芥嫁筍，但時不同耳。」	● 弟木山曰：余嘗以芍藥為牡丹后，因作賀表一通，兄曾云：「但恐芍藥未必

予謂物各有偶，儗必於倫，今之嫁娶，殊覺未當。如梅之為物，品最清高，棠之為物，姿極妖艷，即使同時，亦不可為夫婦，不若梅聘梨花，海棠嫁杏，橡臣佛手，荔枝臣櫻桃，秋海棠嫁雁來紅，庶幾相稱耳，至若以芥嫁筍，筍如有知，必受河東獅子之累矣！

肯耳。」

● 石天外曰：花神有知，當以花果數升謝蹇修矣。

※1.姜學在曰：雁來紅做新郎，真箇是老少年也。

139

五色有太過，有不及，惟黑與白無太過。

● 杜茶村曰：君獨不聞唐有李太白乎？

● 江含徵曰：又不聞元之又元乎？

● 尤悔菴曰：知此道者，其惟弈乎？老子曰：「知其白，守其黑。」

140

許氏《說文》分部，有止有其部，而無所屬之字者，下必註云：「凡某之屬，皆從某。」贅句殊覺可笑，何不省此一句乎？

● 譚公子曰：此獨民縣到任告示耳。

※1.王司直曰：此亦古史之遺。

141

閱《水滸傳》，至魯達打鎮關西，武松打虎，因思人生必有一椿極快意事，方不枉在生一場。即不能有其事，亦須著得一種得意之書，庶幾無憾耳（如李太白有貴妃捧硯事，司

● 張竹坡曰：此等事，必須無意中方做得來。

● 陸雲士曰：心齋所著得意之書頗多，不止一打快活林，一打景陽崗，稱快意矣。

※1.弟木山曰：兄若打中山

馬相如有文君當爐事,嚴子陵有足加帝腹事,王之渙、王昌齡有旗亭書壁事,王子安有順風過江作〈滕王閣序〉事之類。)	狼,更極快意。
142 春風如酒,夏風如茗,秋風如煙,(冬風)如薑芥。	● 許筠菴曰:所以秋風客氣味狠辣。 ● 張竹坡曰:安得東風夜夜來。
143 冰裂紋極雅,然宜細,不宜肥,若以之作窗欄,殊不耐觀也。(冰裂紋須分大小,先作大冰裂,再于每大塊之中作小冰裂,方佳)	● 江含徵曰:此便是哥窯紋也。 ※1. 靳熊封曰:一片冰心在玉壺,可以移贈。
144 鳥聲之最佳者,畫眉第一,黃鸝、百舌次之。然黃鸝,百舌,世未有籠而畜之者,其殆高士之儔,可聞而不可屈者耶!	● 江含徵曰:又有打起黃鶯兒者,然則亦有時用他不著。 ● 陸雲士曰:黃鸝住久渾相識,欲別頻啼四五聲。來去有情,正不必籠而畜之也。
145 不治生產,其後必致累人;專務交遊,其後必致累己。	● 楊聖藻曰:晨鐘夕磬,發人深省。 ● 冒巢民曰:若在我,雖累己累人,亦所不悔。 ● 宗子發曰:累己猶可,若累人則不可矣。 ● 江含徵曰:今之人未必肯

	受你累，還是自家隱些的好。
146 昔人云：「婦人識字，多致誨淫。」予謂此非識字之過也，蓋識字則非無聞之人，其淫也，人易得而知耳。	● 張竹坡曰：此名士持身，不可不加謹也。 ● 李若金曰：貞者識字愈貞，淫者不識字亦淫。
147 善讀書者，無之而非書，山水亦書也，棋酒亦書也，花月亦書也；善遊山水者，無之而非山水，書史亦山水也，詩酒亦山水也，花月亦山水也。	● 陳鶴山曰：此方是真善讀書人，善遊山水人。 ● 黃交三曰：善于領會者，當作如是觀。 ● 江含徵曰：五更臥被時，有無數山水、書籍，在眼前、胸中。 ● 尤悔菴曰：山耶？水耶？書耶？一而二，二而三，三而一者也。 ● 陸雲士曰：妙舌如環，真慧業文人之語。

148 園亭之妙在邱壑，布置不在雕繪瑣屑。往往見人家園亭，屋脊牆頭，雕甋鏤瓦，非不窮極工巧，然未久即壞，壞後極難修葺，是何如樸素之為佳乎？	● 江含徵曰：世間最令人神愴者，其如名園雅墅。一經頹廢，風臺月榭，埋沒荊棘。故昔之賢達，有不欲置別業者。予嘗過琴虞留題名園句有云：「而今綺砌雕闌在，剩與園丁作業錢。」蓋傷之也。 ● 弟木山曰：予嘗悟作園亭與作光棍二法：園亭之善，多在迴廊；光棍之惡，在能結訟。
149 清宵獨坐，邀月言愁；良夜孤眠，呼蛩語恨。	● 袁士旦曰：今我百端交集。 ※1.黃孔植曰：此逆旅無聊之況，心齋亦知之乎？
150 官聲採於輿論，豪右之口與寒乞之口，俱不得其真；花案定於成心，艷媚之評與寢陋之評，概恐失其實。	● 黃九煙曰：先師有言：「不如鄉人之善者好之，其不善者惡之。」 ● 李若金曰：豪右而不講分上，寒乞而不望推恩者，亦未嘗無公論。 ● 倪永清曰：我謂眾人唾罵者，其人必有可觀。
151 胸藏邱壑，城市不異山林；興寄煙霞，閬浮有如蓬島。	□2.袁翔甫補評曰：曠達二字，由於天性。先生之風，山高水長。

152 梧桐為植物中清品，而形家獨忌之甚！且謂：「梧桐大如斗，主人往外走。」若竟視為不祥之物也者！夫翦桐封弟，其為宮中之桐可知，而卜世最久者，莫過于周。俗言之不足據，類如此夫！	● 江含徵曰：愛碧梧者，遂艱于白鏹，造物蓋忌之故靳之也。有何吉凶休咎之可關？只是打秋風時，光棍樣可厭耳。 ● 尤悔菴曰：梧桐生矣，于彼朝陽，詩言之矣。 ● 倪永清曰：心齋為梧桐雪千古之奇冤，百卉俱當九頓。
153 多情者不以生死易心，好飲者不以寒暑改量，喜讀書者不以忙閒作輟。	● 朱其恭曰：此三言者，皆是心齋自為寫照。 ※1.王司直曰：我願飲酒讀《離騷》，至死方輟，何如？
154 蛛為蝶之敵國，驢為馬之附庸。	● 周星遠曰：妙論解頤，不數晉人危語、隱語。 ● 黃交三曰：自開闢以來，未聞有此奇論。
155 立品須發乎宋人之道學，涉世須參以晉代之風流。	● 方寶臣曰：真道學，未有不風流者。 ● 張竹坡曰：夫子自道也。 ● 胡靜夫曰：予贈金陵前輩趙客菴句云：「文章鼎立莊騷外，杖履風流晉宋間。」今當移贈山老。 ● 倪永清曰：等閒地位，卻是個雙料聖人。 ● 陸雲士曰：有不風流之道

	學，有風流之道學，有不道學之風流，有道學之風流，毫釐千里。
156 古謂禽獸亦知人倫，予謂匪獨禽獸也，即草木亦復有之。牡丹為王，芍藥為相，其君臣也；南山之喬，北山之梓，其父子也；荊之聞分而枯，聞不分而活，其兄弟也；蓮之並蒂，其夫婦也；蘭之同心，其朋友也。	● 江含徵曰：綱常倫理，今日幾于掃地，合向花木鳥獸中求之。又曰：心齋不喜迂腐，此却有此腐氣。
157 豪傑易于聖賢，文人多於才子。	● 張竹坡曰：豪傑不能為聖賢，聖賢未有不豪傑，文人、才子亦然！
158 牛與馬，一仕而一隱也；鹿與豕，一仙而一凡也。	● 杜茶村曰：田單之火牛，亦曾効力疆場；至馬之隱者，則絕無之矣。若武王歸馬于華山之陽，所謂勒令致仕者也。 ● 張竹坡曰：諺云：「莫與兒孫作牛馬。」蓋為後人審出處語也。
159 古今至文，皆血淚所成。	● 吳晴巖曰：山來《清淚痕》一書，細看皆是血淚。 ● 江含徵曰：古今惡文，亦純是血
160 「情」之一字，所以維持世界；「才」之一字，所	● 吳雨若曰：世界原從「情」字生出，有夫婦然後有父子，有父子然後有兄弟，

以粉飾乾坤。	有兄弟然後有朋友，有朋友然後有君臣。 ● 釋中洲曰：情與才缺一不可。
161 孔子生於東魯，東者生方，故禮、樂、文章，其道皆自無而有；釋迦生於西方，西者死地，故受、想、行、識，其教皆自有而無。	● 吳街南曰：佛遊東土，佛入生方，人望西天，豈知是尋死地？嗚呼！西方之人兮，之死靡他。 ● 殷日戒曰：孔子只勉人生時用功，佛氏只教人死時作主，各自一意。 ● 倪永清曰：盤古生于天心，故其人在不有不無之間。
162 有青山方有綠水，水惟借色于山；有美酒便有佳詩，詩亦乞靈於酒。	● 李聖許曰：有青山綠水，乃可酌美酒而詠佳詩，是詩酒又發端于山水也。
163 嚴君平以卜講學者也；孫思邈以醫講學者也，諸葛武侯以出師講學者也。	● 殷日戒曰：心齋殆又以《幽夢影》講學者耶。 ※1.戴田友曰：如此講學，繾可稱道學先生。
164 人謂女美于男，禽則雄華於雌，獸則牝牡無分者也。	● 杜于皇曰：人亦有男美于女者，此尚非確論。 ● 徐松之曰：此是茶村興到之言，亦非定論。
165 鏡不幸而遇嫫母，硯不幸而遇俗子，劍不幸而遇庸將，皆無可奈何之事。	● 楊聖藻曰：凡不幸者，皆可以此概也。 ● 閔賓連曰：心齋案頭無一佳硯，然詩文絕無一點塵

	俗氣，此又硯之大幸也。 ※1.曹沖谷曰：最無可奈者，佳人定隨癡漢。
166 天下無書則已，有則必當讀；無酒則已，有則必當飲；無名山則已，有則必當遊；無花月則已，有則必當賞玩；無才子佳人則已，有則必當愛慕憐惜。	● 弟木山曰：談何容易！即我家黃山，幾能得一到耶？
167 秋蟲春鳥，尚能調聲弄舌，時吐好音，我輩搦管拈毫，豈可甘作鴉鳴牛喘！	● 吳薗次曰：牛若不喘，宰相安肯問之？ ● 張竹坡曰：宰相不問科律，而問牛喘，真是文章司命！ ● 倪永清曰：世皆以鴉鳴牛喘為鳳歌鸞唱，奈何！
168 媸顏陋質，不與鏡為仇者，亦以鏡為無知之死物耳，使鏡而有知，必遭撲破矣。	● 江含徵曰：鏡而有知，遇若輩早已迴避矣。 ● 張竹坡曰：鏡而有知，必當化媸為妍。
169 吾家公藝，恃百忍以同居，千古傳為美談，殊不知忍而至于百，則其家庭乖戾暌隔之處，正未易更僕數也。	● 江含徵曰：然除了一忍，更無別法。 ● 顧天石曰：心齋此論，先得我心。忍以治家可耳，奈何進之？高宗使忍以養成武氏之禍哉！ ● 倪永清曰：若用「忍」字，則百猶嫌少，否則以「劍」字處之足矣。或曰：「出家」二字足以處之。

	※1.王安節曰:惟其乖戾暌隔,是以要忍。
170 九世同居誠為盛事,然止當與割股、盧墓者作一例看,可以為難矣,不可以為法也,以其非中庸之道也。	● 洪去蕪曰:古人原有父子異宮之說。 ● 沈契掌曰:必居天下之廣居而後可。
171 作文之法,意之曲折者,宜寫之以顯淺之詞;理之顯淺者,宜運之以曲折之筆;題之熟者,參之以新奇之想;題之庸者,深之以關繫之論;至于窘者舒之使長,縟者刪之使簡,俚者文之使雅,鬧者攝之使靜,皆所謂裁制也。	● 陳康疇曰:深得作文三昧語。 ● 張竹坡曰:所謂節制之師。 ● 王丹麓曰:文家秘旨,和盤托出,有功作者不淺。
172 笋為蔬中尤物,荔枝為果中尤物,蟹為水族中尤物,酒為飲食中尤物,月為天文中尤物,西湖為山水中尤物,詞曲為文字中尤物。	● 張南村曰:《幽夢影》可為書中尤物。 ● 陳鶴山曰:此一則,又為《幽夢影》中尤物。
173 買得一本好花,猶且愛護而憐惜之,矧其為解語花乎?	● 周星遠曰:性至之語,自是君身有仙骨,世人那得知其故耶! ● 石天外曰:此一副心,令我念佛數聲。 ● 李若金曰:花能解語而落於粗惡武夫,或遭獅吼戕

	賊，雖欲愛護何可得！
	※1.王司直曰：此言是惻隱之心，即是是非之心。
174 觀手中便面，足以知其人之雅俗，足以識其人之交遊。	● 李聖許曰：今人以筆資丐名人書畫，名人何嘗與之交遊？吾知其手足便面雖雅，而其人甚俗也。心齋此條，猶非定論。 ● 畢嵋谷曰：人苟肯以筆資丐名人書畫，則其人猶有雅道存焉，世固有並不愛此道者。 ※1.錢目天曰：二語皆然。
175 水為至污之所會歸，火為至污之所不到。若變不潔為至潔，則水火皆然。	● 江含徵曰：世間之物，宜投諸水火者不少，蓋喜其變也。
176 貌有醜而可觀者，有雖不醜而不足觀者；文有不通而可愛者，有雖通而極可厭者；此未易與淺人道也。	● 陳康疇曰：相馬於牝牡驪黃之外者，得之矣。 ● 李若金曰：究竟可觀者必有奇怪之處，可愛者必無大不通。 ※1.梅雪坪曰：雖通而可厭，便可謂之不通。
177 遊玩山水亦復有緣，苟機緣未至，則雖近在數十里之內，亦無暇到也。	● 張南村曰：予晤心齋，詢其曾遊黃山否？心齋對以未遊，當是機緣未至耳。 ● 陸雲士曰：余慕心齋者十年，今戊寅之冬，始得一面，身到黃山恨其晚，而

	正未晚也。
178 貧而無諂，富而無驕，古人之所賢也；貧而無驕，富而無諂，今人之所少也。足以知世風之降矣。	● 許未菴曰：戰國時已有貧賤驕人之說矣。 ● 張竹坡曰：有一人一時，而對此諂對彼驕者更難。
179 昔人欲以十年讀書，十年遊山，十年檢藏。予謂檢藏儘可不必十年，只二、三載足矣。若讀書與遊山，雖或相倍蓰，恐亦不足以償所願也，必也如黃九煙前輩之所云：「人生必三百歲而後可乎？」	● 江含徵曰：昔賢原謂：「盡則安能？但身到處莫放過耳。」 ● 孫松坪曰：吾鄉李長蘅先生，愛湖上諸山，有「每個峰頭住一年」之句。然則黃九煙先生所云，猶恨其少。 ● 張竹坡曰：今日想來，彭祖反不如馬遷。
180 寧為小人之所罵，毋為君子之所鄙；寧為盲主司之所擯棄，毋為諸名宿之所不知。	● 陳康疇曰：世之人自今之後，慎毋罵心齋也。 ● 江含徵曰：不獨罵也，即打亦無妨，但恐難肋不足以安尊拳耳。 ● 張竹坡曰：後二句足少平吾恨。 ● 李若金曰：不為小人所罵，便是鄉愚；若為君子所鄙，斷非佳士。

181 傲骨不可無，傲心不可有；無傲骨則近於鄙夫，有傲心不得為君子。	● 吳街南曰：立君子之側，骨亦不可傲；當鄙夫之前，心亦不可不傲。 ● 石天外曰：道學之言，才人之筆。 ※1.龐筆奴曰：現身說法，真實妙諦。
182 蟬為蟲中之夷、齊，蜂為蟲中之管、晏。	● 崔青崎曰：心齋可謂蟲之董狐。 ※1.吳鏡秋曰：蚊是蟲中酷吏，蠅是蟲中遊客。
183 曰癡、曰愚、曰拙、曰狂，皆非好字面，而人每樂居之；曰奸、曰黠、曰強、曰佞反是，而人每不樂居之，何也？	● 江含徵曰：有其名者無其實，有其實者避其名（世有奸黠強佞，而貌託癡愚拙狂者，謂為不樂居，恐亦未必）。
184 唐、虞之際，音樂可感鳥獸。此蓋唐、虞之鳥獸，故可感耳。若後世之鳥獸，恐未必然。	● 洪去蕪曰：然則鳥獸亦隨世道升降耶？ ● 陳康疇曰：後世之鳥獸，應是後世人之所化身，即不無升降，正未可知。 ● 石天外曰：鳥獸自是可感，但無唐、虞之音樂耳。 ● 畢右萬曰：後世之鳥獸，與唐虞無異，但後世之人迴不同耳。
185 痛可忍，而癢不可忍；苦可耐，而酸不可耐。	● 陳康疇曰：余見酸，子偏不耐苦。

	● 張竹坡曰：是痛癢關心語。 ● 余香祖曰：癢不可忍，須倩麻姑搔背。 ※1.釋牧堂曰：若知痛癢辨苦酸，便是居士悟處。
186 鏡中之影，著色人物也；月下之影，寫意人物也。鏡中之影，鈎邊畫也；月下之影，沒骨畫也。月中山河之影，天文中地理也；水中星月之象，地理中天文也。	● 惲叔子曰：繪空鏤影之筆。 ● 石天外曰：此種著色寫意，能令古今善畫人一齊擱筆。 ※1.沈契掌曰：好影子俱被心齋先生畫著。
187 能讀無字之書，方可得驚人妙句；能會難通之解，方可參最上禪機。	● 黃交三曰：山老之學，從悟而入，故常有徹天徹地之言。 ◎3.釋牧堂曰：驚人之句，從外而得者；最上之禪，從內而悟者，山翁再來人，內外合一耳。 ◎3.胡會來曰：從無字處著書，已得驚人，於難通處著解，既參最上，其《幽夢影》乎！
188 若無詩酒，則山水為具文；若無佳麗，則花月皆虛設。	◎3.卓子任曰：詩人酒客，以及佳麗，乃山川靈秀之氣孕育而成者。 □2.袁翔甫補評曰：世間之辜負此山水花月者，正不知幾多地方，幾多時日也，恨之恨之。

189 才子而美姿容，佳人而工著作，斷不能永年者，匪獨為造物之所忌，蓋此種原不獨為一時之寶，乃古今萬世之寶，故不欲久留人世，以取襄耳。	● 鄭破水曰：千古傷心，同聲一哭。 ※1. 王司直曰：千古傷心者，讀此可以不哭矣。
190 陳平封曲逆侯，《史》、《漢》注皆云音：「去遇」。予謂此是北人土音耳，若南人四音俱全，似仍當讀作本音為是（北人于唱曲之曲，亦讀如去字）。	● 孫松坪曰：曲逆，今完縣也。眾水濚洄，勢曲而流逆，予嘗為土人訂之，心齋重發吾覆矣。
191 古人四聲俱備，如「六」、「國」二字，皆入聲也。今梨園演蘇秦劇，必讀「六」為「溜」，讀「國」為「鬼」，從無讀入聲者。然考之《詩經》，如「良馬六之」、「無衣六兮」之類，皆不與去聲協，而協祝告燠。「國」字皆不與上聲協，而協入陌質韻，則是古人似亦有入聲，未必盡讀「六」為「溜」，讀「國」為「鬼」也。	● 弟木山曰：梨園演蘇秦，原不盡讀「六國」為「溜鬼」，大抵以曲調為別，若曲是南調，則仍讀入聲也。

192 閒人之硯，固欲其佳，而忙人之硯，尤不可不佳；娛情之妾，固欲其美，而廣嗣之妾，亦不可不美。	● 江含徵曰：硯美下墨可也，妾美招妒奈何！ ● 張竹坡曰：妒在妾，不在美。
193 如何是獨樂樂？曰鼓琴；如何是與人樂樂？曰弈棋。如何是與眾樂樂？曰馬弔。	● 蔡鉉升曰：「獨樂樂，與人樂樂，孰樂？」曰：「不若與人！」「與少樂樂，與眾樂樂，孰樂？」曰：「不若與少。」 ● 王丹麓曰：我與蔡君異，獨畏人為鬼陣，見則必亂其局而後已。
194 不待教而為善為惡者，胎生也；必待教而後為善為惡者，卵生也；偶因一事之感觸，而突然為善為惡者，濕生也（如周處戴淵之改過，李懷光反叛之類）；前後判若兩截，究非一日之故者，化生也（如唐元宗衛武公之類）。	◎3. 王宓草曰：有教亦不善者，又在胎卵濕化之外。 ◎3. 龐天池曰：不教而為惡，教之而不為善者，畜生也。 ◎3. 王勿齋曰：一教即善者，順生也，所謂人之生也直是也。若橫生逆產，徒費穩婆氣力耳。 □2. 袁翔甫補評曰：不能為善不能為惡者，枉生也。
195 凡物皆以形用，其以神用者，則鏡也，符印也，日晷也，指南針也。	※1. 袁中江曰：凡人皆以形用，其以神用者：聖賢也、仙也、佛也。 ● 黃虞外士曰：凡物之用皆形，而其所以然者神也：鏡凸凹而易其肥瘦，符印以專一而主其神機，日晷以恰當而定其準則，指南

	以靈動而活其針縫，是皆神而明之，存乎人矣。
196 才子遇才子，每有憐才之心；美人遇美人，必無惜美之意；我願來世托生為絕代佳人，一反其局而後快。	● 陳鶴山曰：諺云：「鮑老當筵笑郭郎，笑他舞袖太郎當。若教鮑老當筵舞，轉更郎當舞袖長。」則為之奈何？ ● 鄭藩修曰：俟心齋來世為佳人時再議。 ● 余湘客曰：古亦有我見猶憐者。 ● 倪永清曰：再來時，不可忘卻。
197 予嘗欲建一無遮大會，一祭歷代才子，一祭歷代佳人，俟遇有真正高僧，即當為之。	● 顧天石曰：君若果有此盛舉，請遲二、三十年之後，則我亦可拜領盛情也。 ● 釋中洲曰：我是真正高僧，請即為之，何如？不然，則此二種沉魂滯魄，何日而得解脫耶？ ● 江含徵曰：「折柬雖具，而未有定期，則才子佳人亦復怨聲載道。」又曰：「我恐非才子而冒為才子，非佳人而冒為佳人，雖有十萬八千母陀羅臂，亦不能具香廚法饌也。」心齋以為然否？ ● 釋遠峰曰：中洲和尚，不得奪我施主。
198 聖賢者，天地之替身。	● 石天外曰：此語大有功名

	教，敢不伏地拜倒！ ● 張竹坡曰：聖賢者，乾坤之幫手。
199 天極不難做，只須生仁人君子有才德者二、三十人足矣：君一、相一、冢宰一，及諸路總制撫軍是也。	● 黃九煙曰：吳歌有云：「做天切莫做四月天。」可見天亦有難做之時。 ● 江含徵曰：天若好做，不須女媧氏補之。 ● 尤謹庸曰：天不做天，只是做夢，奈何！奈何！ ● 倪永清曰：天若都生善人君相，皆當袖手，便可無為而治。 ● 陸雲士曰：極誕、極奇之話，極真、極確之話。
200 擲陞官圖，所重在德，所忌在贓，何一登仕版，輒與之相反耶？	● 江含徵曰：所重在德，不過是要贏幾文錢耳。 ※1. 沈契掌曰：仕版原與紙版不同。
201 動物中有三教焉：蛟龍、麟、鳳之屬，近于儒者也；猿、狐、鶴、鹿之屬，近于仙者也；獅子、牯牛之屬，近於釋者也。植物中有三教焉：竹、梧、蘭蕙之屬，近於儒者也；蟠桃、老桂之屬，近於仙者也；蓮花、薝、蔔之屬，近於釋者也。	● 顧天石曰：請高唱西廂一句，一筒通徹三教九流。 ● 石天外曰：眾人碌碌，動物中蜉蝣而已；世人崢嶸，植物中荊棘而已。

202

佛氏云：「日月在須彌山腰。」果爾則日月必是遶山橫行而後可，苟有升有降，必為山巔所礙矣。又云：「地上有阿耨達池，其水四出，流入諸印度。」又云：「地輪之下為水輪，水輪之下為風輪，風輪之下為空輪。」余謂此皆喻言人身也；須彌山喻人首，日月喻兩目，池水四出喻血脈流通，地輪喻此身，水為便溺，風為洩氣，此下則無物矣。

● 釋遠峰曰：却被此公道破。

● 畢萬曰：乾坤交後，有盤旋、升降三股大氣：一呼吸、二升降。呼吸之氣，在八卦為震巽、為雷，在天地為風、海潮。在人身為口鼻息；盤旋之氣，在八卦為坎離，在天地為日月，在人身為兩目，為指尖髮羅紋，在草木為樹節心；升降之氣，在八卦為艮兌，在天地為山澤，在人身為髓液便溺，為頭顱萌肚腹，在草木為花葉之向天、樹根之入地，知此而寓言之，出于二氏者，皆可類推而悟。

203

蘇東坡和陶詩，尚遺數十首，予嘗欲集坡句以補之，苦於韻之弗備而止。如責子詩中：「不識六與七，但覓梨與栗」，七字、栗字皆無其韻也。

◎3.王司直曰：余亦常有此想，每以為平生憾事，不謂竟有同心。今彼可以無憾，但憾蘇老耳。

◎3.龐天池曰：心齋有煉石補天手段，乃以七、栗無韻缺陶詩，甚矣，文法之困人也。

□2.袁翔甫補評曰：凡古人已亡未竟之作，後人補之，卒不能佳如束皙補由庚元，次山補咸英九淵，皮日休補九夏，裴光庭補新宮茅鴟，其詞雖在，讀之者寡，雖以坡

	句補坡詩,然何如不補之為妙也。
204 予嘗偶得句,亦殊可喜,惜無佳對,遂未成詩。其一為「枯葉帶蟲飛」,其一為「鄉月大於城」,姑存之,以俟異日。	◎3.王司直曰:古人全詩每因一句兩句而傳者,後人誦之不已。既有此一句兩句,何必復增。 □2.袁翔甫補評曰:單詞隻句亦足以傳,何必足成耶?如滿城風雨近重陽之類是也。
205 「空山無人,水流花開」二句,極琴心之妙境;「勝固欣然,敗亦可喜」二句,極手談之妙境;「帆隨湘轉,望衡九面」二句,極泛舟之妙境;「胡然而天,胡然而帝」二句,極美人之妙境。	◎3.曹沖谷曰:一味妙悟。 ◎3.王司直曰:登山泛舟望美,此語妙境之妙。 □2.袁翔甫補評曰:此等妙境,豈鈍根人領略得來。
206 鏡與水之影,所受者也;日與燈之影,所施者也。月之有影,則在天者為受,而在地者為施也。	●　鄭破水曰:「受」「施」二字,深得陰陽之理。 ※1.龐天池曰:幽夢之影,在心齋為施,在筆奴為受。
207 水之為聲有四:有瀑布聲,有流泉聲,有灘聲,有溝澮聲。風之為聲有三,有松濤聲,有秋葉聲,有波浪聲。雨之為聲有二,有梧葉荷葉上聲,有承簷溜竹筩中聲。	●　弟木山曰:數聲之中,惟水聲最為可厭。以其無已時,甚聒人耳也。

208 文人每好鄙薄富人，然於詩文之佳者，又往往以金玉、珠璣、錦繡譽之，則又何也？	● 陳鶴山曰：猶之富貴家，張山曜野老、落木、荒村之畫耳。 ● 江含徵曰：富人嫌其慳且俗耳，非嫌其珠玉文繡也。 ● 張竹坡曰：不文雖窮可鄙，能文雖富可敬。 ● 陸雲士曰：竹坡之言，是真公道說話。 ● 李若金曰：富人之可鄙者在客，或不好史書，或畏交遊，或趨炎熱，而輕忽寒士，若非然者，則富翁大有裨益人處，何可少之？
209 能閒世人之所忙者，方能忙世人之所閒。	□2.袁翔甫補評曰：閒裡著忙是懵懂漢，忙裡偷閒出短命相。
210 先讀經，後讀史，則論事不謬于聖賢；既讀史，復讀經，則觀書不徒為章句。	● 黃交三曰：宋儒語錄中，不可多得之句。 ● 陸雲士曰：先儒著書法，累牘連章，不若心齋數言道盡。 ※1.王宓草曰：妄論經史者，還宜退而讀經。
211 居城市中，當以畫幅當山水，以盆景當苑囿，以書	● 周星遠曰：究是心齋偏重獨樂樂。 ※1.王司直曰：心齋先生，置

籍當朋友。	身於畫中矣。
212 鄉居須得良朋始佳,若田夫、樵子,僅能辨五穀而測晴雨,久且數未免生厭矣。而友之中又當以能詩為第一,能談次之,能畫次之,能歌又次之,解觴政者又次之。	● 江含徵曰:說鬼話者又次之。 ● 殷日戒曰:奔走于富貴之門者,自應以善說鬼話為第一,而諸客次之。 ● 倪永清曰:能詩者必能說鬼話。 ● 陸雲士曰:三說遞進,愈轉愈妙,滑稽之雄。
213 玉蘭,花中之伯夷也(高而且潔);葵,花中之伊尹也(傾心向日);蓮,花中之柳下惠也(污泥不染);鶴,鳥中之伯夷也(仙品);雞,鳥中之伊尹也(司晨);鶯,鳥中之柳下惠也(求友)。	□2.袁翔甫補評曰:蟬,蟲中之伯夷也;蜂,蟲中之伊尹也;蜻蜓,蟲中之柳下惠也。
214 無其罪而虛受惡名者,蠹魚也(蛀書之蟲,另是一種,其形如蠶蛹而差小);有其罪恒逃清議者,蠨蛸也。	● 張竹坡曰:自是老吏斷獄。 ● 李若金曰:予嘗有除蛛網說。則討之未嘗無人。
215 臭腐化為神奇,醬也、腐乳也、金汁也。至神奇化為臭腐,則是物皆然。	● 袁中江曰:神奇不化臭腐者,黃金也,真詩文也。 ※1.王司直曰:曹操、王安石文字,亦是神奇出於臭腐。

216 黑與白交，黑能污白，白不能掩黑；香與臭混，臭能勝香，香不能敵臭；此君子、小人相攻之大勢也。	● 弟木山曰：人必喜白而惡黑，黜臭而取香，此又君子必勝小人之理也，理在又烏論乎勢！ ● 石天外曰：余嘗言于黑處著一些白，人必驚心駭目，皆知黑處有白；于白處著一些黑，人亦必驚心駭目，以為白處有黑。甚矣！君子之易于形短，小人之易于見長，此不虞之譽，求全之毀由來也。讀此慨然！ ● 倪永清曰：當今以臭攻臭者不少。
217 「恥」之一字，所以治君子；「痛」之一字，所以治小人。	● 張竹坡曰：若使君子以恥治小人，則有恥且格；小人以痛報君子，則盡忠報國。
218 鏡不能自照，衡不能自權，劍不能自擊。	● 倪永清曰：詩不能自傳，文不能自譽。 ※1.龐天池曰：美不能自見，醜不能自掩。
219 古人云：「詩必窮而後工。」蓋窮則語多感慨，易於見長耳。若富貴中人，既不可憂貧歎賤，所談者不過風雲月露而已，詩安得佳？苟思所變，計惟有出	● 張竹坡曰：所以鄭監門流民圖，獨步千古。 ● 倪永清曰：得意之遊，不暇作詩；失意之遊，不能作詩。苟能以無意遊之，則眼光識力，定是不同。 ● 尤悔菴曰：世之窮者多而

| 遊一法。即以所見之山川、風土、物產、人情，或當瘡痍兵燹之餘，或值旱澇災祲之後，無一不可寓之詩中。藉他人之窮愁，以供我之咏歎，則詩亦不必待窮而後工也。 | 工詩者少，詩亦不任受過也。 |

說明：

一、本附錄之文字：

　　乃以道光二十九年世楷堂藏版《幽夢影》為依據，因此有諸多俗字與現今通用字不同，為忠於考證，全數保留，不做更動。

二、評語代號說明：

1.「●」此之標示乃指《昭代叢書、別集》，道光二十九年，世楷堂藏版。

2.「※1」係以光緒五年《嘯園藏版》增減。

3.「□2」係以光緒十年《翠琅玕館叢書》之版本增列。

4.「◎3」係依清刊本之補增。

附錄二：《幽夢影》評語人數統計

編號	評論人名	出現總次數	出現則別
0 1	曹 秋 岳	2	1、22
0 2	龐 筆 奴	2	1、181
0 3	孫 愷 似 孫 松 坪 孫 松 楸	12	2、5、6、19、21、25、54、71、80、101、179、190
0 4	王 景 州	1	2
0 5	黃 九 煙 黃 略 似	7	3、21、30、44、47、150、199
0 6	江 含 徵	49	3、5、9、10、11、15、21、24、30、31、34、48、49、59、63、77、84、87、93、94、99、103、109、115、125、127、134、135、139、143、144、145、147、148、152、156、159、168、169、175、179、180、183、192、197、199、200、208、212
0 7	殷 日 戒	15	3、4、10、17、68、70、73、84、87、

			95、99、102、161、163、212
08	冒青若	3	3、24、25
09	查二瞻	1	4
10	周星遠	12	4、56、79、84、85、86、89、127、128、154、173、211
11	王名友	5	4、8、52、93、108
12	張竹坡	83	4、5、5、7、8、11、12、13、14、15、20、21、23、25、27、30、31、32、35、36、37、39、40、42、43、44、48、50、51、54、55、56、57、58、60、61、62、63、69、71、72、73、75、76、82、85、92、93、100、104、105、118、121、122、123、124、125、126、127、128、129、130、131、134、136、141、142、146、155、157、158、167、168、171、178、179、180、185、192、198、208、214、219
13	余淡心	4	5、11、107、118
14	黃交三	11	5、35、69、96、107、134、135、147、154、187、210
15	尤悔庵尤艮齋	17	5、16、18、22、31、74、80、90、96、128、133、134、136、139、147、152、219
16	黃石閭	1	6

1 7	黃仙棠	2	7、111
1 8	朱菊山	2	7、8
1 9	釋中洲	6	7、76、79、81、160、197
2 0	張迂庵	6	7、20、50、123、128、129
2 1	王武徵	1	8
2 2	顧天石	18	8、17、42、45、63、64、67、77、90、109、111、114、120、124、129、169、197、201、
2 3	徐硯谷	1	8
2 4	尤謹庸 尤慧珠	10	8、18、22、28、40、45、67、68、131、199
2 5	石天外	17	10、14、16、27、76、98、102、115、120、138、173、181、184、186、198、201、216
2 6	李聖許	6	12、37、97、106、162、174
2 7	程韓老	1	13
2 8	龔半千	1	14
2 9	李若金 李季子	10	15、40、96、146、150、173、176、180、208、214
3 0	王司直	14	15、26、64、88、105、140、153、173、189、203、204、205、211、215
3 1	袁中江	6	16、74、90、119、195、215
3 2	陸雲士	21	16、22、40、49、67、74、100、101、104、108、129、136、141、144、147、

			155、177、199、208、210、212
33	胡會來	1	17
34	吳蘭次 吳聽翁	3	18、48、167
35	鄭破水	4	18、108、189、206
36	弟木山	12	18、40、51、127、137、138、141、148、 166、191、207、216
37	洪秋士	2	19、130
38	崔蓮峰	1	22
39	倪永清	23	22、28、41、45、47、48、82、88、89、 95、114、150、152、155、161、167、 169、196、199、212、216、218、219
40	龐天池	13	22、44、52、99、101、106、107、114、 122、194、203、206、218
41	謝海翁	1	23
42	陳鶴山	8	24、53、71、96、147、172、196、208
43	孔東塘	3	25、36、116
44	汪扶晨	1	26
45	釋菡人	2	26、136
46	江皋庵 江允凝	2	27、28
47	畢右萬	7	28、35、45、77、101、184、202
48	吳街南	5	29、65、91、161、181

4 9	冒辟疆 冒巢民	4	32、88、135、145
5 0	王勿翦	1	33
5 1	余生生	1	36
5 2	吳野人	2	37、38
5 3	陳康疇	9	38、70、71、136、171、176、180、184、185
5 4	轟晉人	2	41、120
5 5	曹實庵	1	50
5 6	許師六	1	50
5 7	釋師昂	1	51
5 8	狄立人	1	54
5 9	汪舟次	1	54
6 0	沈契掌	4	54、170、186、200
6 1	先渭求	1	55
6 2	何蔚宗	1	58
6 3	許篠林	1	59
6 4	吳岱觀	1	59
6 5	李荔園	1	59
6 6	程穆倩	1	61
6 7	王宓草	5	61、119、132、194、210
6 8	張諧石	1	62
6 9	楊聖藻	6	63、95、108、118、145、165
7 0	梅定九	1	64

71	閔賓連	2	66、165
72	貫玉	1	68
73	王丹麓	5	68、95、104、171、193
74	黃舊樵	1	73
75	王安節	4	73、116、124、169
76	朱其恭	4	78、99、112、153
77	陳定九	1	78
78	釋浮村	1	78
79	弟東園	1	78
80	胡靜夫	2	80、155
81	暗尊者	1	81
82	袁士旦	2	83、149
83	余香祖	2	84、185
84	錢目天	2	91、174
85	洪去蕪	3	92、170、184
86	王瑞人	1	92
87	李水樵	1	95
88	周冰持	1	107
89	紀伯紫	1	108
90	王璞庵 王仔園	2	113、114
91	施愚山	1	115
92	王子直	1	117
93	范汝受	1	120

94	曾青藜	1	120
95	殷簡堂	1	122
96	余湘客 余香客	2	127、196
97	宗子發	2	127、145
98	孫豹人	1	129
99	吳寶涯	1	131
100	陳留溪	1	131
101	姜學在	1	138
102	杜茶村 杜于皇	3	139、158、164
103	譚公子	1	140
104	許筠庵	1	142
105	靳熊封	1	143
106	黃孔植	1	149
107	方寶臣	1	155
108	吳晴岩 吳雨若	2	159、160
109	戴田友	1	163
110	徐松之	1	164
111	曹沖谷	2	165、205
112	張南村	2	172、177
113	畢嵎谷	1	174

114	梅雪坪	1	176
115	許耒庵	1	178
116	崔青崎	1	182
117	吳鏡秋	1	182
118	釋牧堂	2	185、187
119	惲叔子	1	186
120	卓子任	1	188
121	蔡鉉升	1	193
122	王勿齋	1	194
123	黃虞外士	1	195
124	鄭藩修	1	196
125	釋遠峰	2	197、202

說明：

　　坊間皆以一百四十餘位的人數籠統概述，經筆者不斷查考，目前所確定人數為一百二十五位。

附錄三：《幽夢影》舊編本原文差異

道光版與光緒版比較：

在比較之前，道光版本身已有一些訛誤，例如：56 則「而『巳』」，卻以「而『巳』」出現；第 82 則「『瀑』布」，出現「布」；第 141 則「『魯』達」，誤刻成「達」等，可見雕版時偶有疏失。以下為二者之比較：

1.道光版第 13 則：「二者之『間』」，光緒五年版及其後則改為：「二者之『閒』」。

2.道光版第 20 則：「應『酧』」，光緒五年版及其後則改為：「應『酬』」。

3.道光版第 27 則：「十恨，河豚『多』毒」，在光緒五年版及其後則改為：「十恨，河豚『有』毒」。

4.道光版第 28 則：「另是一番情『境』」，在光緒五年版及其後則改為：「另是一番情『景』」。

5.道光版第 36 則文中夾注：「八月為玩月勝『境』」，在光緒五年版及其後則改為：「八月為玩月勝『景』」。

6.道光版第 50 則：「富貴而勞『悴』」，在光緒五年版及其後則改為：「富貴而勞『粹』」。

7.道光版第 53 則：「尤過『于』盲」，在光緒五年版及其後則改為：「尤過『於』盲」。

8.道光版第 56 則：「餘則皆宜『于』目者也」、「『梔』子」、「酴『醾』虞美人」、「勝『于』花者」；而在光緒五年版及其後則改為：「餘則皆宜『於』目者也」、「『梔』子」、「酴『醾』虞美人」、「勝『於』花者」。

9.道光版第 57 則：「『葢』諸書」，在光緒五年版及其後則改為：「『蓋』

諸書」。

10.道光版第 58 則:「『歛』灩」,在光緒五年版及其後則改爲:「『瀲』灩」,道光版之字體應是筆誤。

11.道光版第 65 則:「『紙』上談兵」,在光緒五年版及其後則改爲:「『紙』上談兵」,紙下多出「-」。

12.道光版第 66 則:「精『欵』式」,在光緒五年版及其後則改爲:「精『款』式」。

13.道光版第 69 則:「萬世『宏』功」,在光緒五年版及其後則改爲:「萬世『弘』功」。

14.道光版第 70 則:「『丐』名士」,光緒五年版及其後則改爲:「『丐』名士」。

15.道光版第 73 則:「尙類『鷔』也」,在光緒五年版及其後則改爲:「尙類『鷔』也」。

16.道光版第 76 則:「『葢』名山勝境」、「名山勝『境』」;在光緒五年版及其後則改爲:「『蓋』名山勝境」、「名山勝『景』」,此外光緒版等在此則中「憑『弔』」則誤爲「弔」。

17.道光版第 77 則:「『駼』方」,在光緒五年版及其後則改爲:「『驗』方」。

18.道光版第 78 則:「紅『裳』」,在光緒五年版及其後則改爲:「紅『裙』」。

19.道光版第 81 則:「談『禪』」,在光緒五年版及其後則改爲:「談『禪』」。

20.道光版第 88 則:「『抄』寫」,在光緒五年版及其後則改爲:「『鈔』寫」。

21.道光版第 91 則:「『䀹』看」,在光緒五年版及其後則改爲:「『豎』

看」。

22.道光版第 107 則：「曉『粧』」，在光緒五年版及其後則改爲：「曉『妝』」。

23.道光版第 151 則：「『閬』浮」，在光緒五年版及其後則改爲：「『閬』浮」。

24.道光版第 171 則：「『參』之以新奇」，在光緒五年版及其後則改爲：「『參』之以新奇」。

25.道光版第 203 則：「『梨』與栗」，在光緒五年版及其後則改爲：「『梨』與栗」。

26.道光版第 204 則：「鄉月大『于』城」，在光緒五年版及其後則改爲：「鄉月大『於』城」。

27.道光版第 213 則：「『鷄』鳥中之伊尹」，在光緒五年版及其後則改爲：「『雞』鳥中之伊尹」。

28.道光版第 214 則：「『恒』逃」，在光緒五年版及其後則改爲：「『恆』逃」。

從以上二十八則之版本不同而使文字有所不同看來，主要皆以「同義不同字」居多，如「于」與「於」，「蓋」與「葢」等；其次，是不僅不同且有錯誤，也是偶有之事，如「勞『粹』」，便是一例。

另外在內文首頁中著者之名也大有學問，其一，道光版：「歙縣 張潮山來著」；其二，光緒五年版：「天都 張潮心齋著」；其三，光緒十年版：「天都 張潮心齋著」；其四，宣統三年版：「歙縣 張潮山來著」，以及「江都 吳仲、童閨校刊」；其五，宣統三年版：「天都 張潮心齋著」等，猶見重點亦是道光版與光緒版之別。

附錄四：《幽夢影》舊編本評語比較

（一）順序變動

1.第 22 則，光緒版評家順序更動爲：「倪、曹、崔、尤、尤、陸、」。

2.第 28 則，光緒版評家順序更動爲：「畢、江、倪、尤」。

3.第 35 則，光緒版評家順序更動爲：「黃、畢、張」。

4.第 36 則，光緒版評家順序更動爲：「孔、張、余」。

5.第 40 則，光緒版評家順序更動爲：「李、張、弟、尤、陸」。

6.第 45 則，光緒版評家順序更動爲：「尤、倪、畢、顧」。

7.第 48 則，光緒版評家順序更動爲：「吳、江、倪、張」。

8.第 63 則，光緒版評家順序更動爲：「江、張、楊、顧」。

9.第 71 則，光緒版評家順序更動爲：「陳、孫、陳、張」。

10.第 73 則，光緒版評家順序更動爲：「黃、張、殷」。

11.第 74 則，光緒版評家順序更動爲：「尤、袁、陸」。

12.第 80 則，光緒版評家順序更動爲：「尤、孫、胡」。

13.第 95 則，光緒版評家順序更動爲：「倪、殷、楊、王、李」。

14.第 114 則，光緒版評家順序更動爲：「王、倪、顧」。

15.第 122 則，光緒版評家順序更動爲：「殷、張」。

16.第 150 則，光緒版評家順序更動爲：「倪、黃、李」。

17.第 155 則，光緒版評家順序更動爲：「倪、方、張、胡、陸」。

18.第 167 則，光緒版評家順序更動爲：「張、吳、倪」。

19.第 173 則，光緒版評家順序更動爲：「李、周、石」。

20.第 176 則，光緒版評家順序更動爲：「李、陳」。

21.第 199 則，光緒版評家順序更動爲：「倪、黃、江、尤、陸」。

（二）人數增減

1.第 1 則，光緒五年版少了「龐筆奴」。

2.第 8 則，光緒五年版少了「徐硯谷」。

3.第 15 則，光緒五年版少了「王司直」。

4.第 17 則，光緒五年版少了「胡會來」。

5.第 22 則，光緒五年版少了「龐天池」。

6.第 26 則，光緒五年版少了「王司直」。

7.第 44 則，光緒五年版少了「龐天池」。

8.第 51 則，光緒五年版少了「釋師昂」。

9.第 52 則，光緒五年版少了「龐天池」。

10.第 54 則，光緒五年版少了「沈契掌」。

11.第 61 則，光緒五年版少了「王宓草」。

12.第 64 則，光緒五年版少了「王司直」。

13.第 76 則，光緒五年版多出了「顧天石」。

14.第 78 則，光緒五年版少了「弟東圃」。

15.第 88 則，光緒五年版少了「王司直」。

16.第 91 則，光緒五年版少了「錢目天」。

17.第 105 則，光緒五年版少了「王司直」。

18.第 106 則，光緒五年版少了「龐天池」。

19.第 107 則，光緒五年版少了「龐天池」。

20.第 108 則，光緒五年版多出了「余香祖」。

21.第 114 則，光緒五年版少了「龐天池」。

22.第 122 則，光緒五年版少了「龐天池」。

23.第 124 則，光緒五年版少了「王安節」。

24.第 138 則，光緒五年版少了「姜學在」。

25.第 140 則，光緒五年版少了「王司直」。

26.第 141 則，光緒五年版少了「弟木山」。

27.第 143 則，光緒五年版少了「靳熊封」。

28.第 149 則，光緒五年版少了「黃孔植」。

29.第 153 則，光緒五年版少了「王司直」。

30.第 163 則，光緒五年版少了「戴田友」。

31.第 165 則，光緒五年版少了「曹沖谷」。

32.第 169 則，光緒五年版少了「王安節」。

33.第 170 則，光緒五年版少了「沈契掌」。

34.第 174 則，光緒五年版少了「錢目天」。

35.第 176 則，光緒五年版少了「梅雪坪」。

36.第 181 則，光緒五年版少了「龐筆奴」。

37.第 182 則，光緒五年版少了「吳鏡秋」。

38.第 185 則，光緒五年版少了「釋牧堂」。

39.第 186 則，光緒五年版少了「沈契掌」。

40.第 189 則，光緒五年版少了「王司直」。

41.第 195 則，光緒五年版少了「袁中江」。

42.第 200 則，光緒五年版少了「沈契掌」。

43.第 206 則，光緒五年版少了「龐天池」。

44.第 210 則，光緒五年版少了「王宓草」。

45.第 211 則，光緒五年版少了「王司直」，

46.第 215 則，光緒五年版少了「王司直」。

47.第 218 則，光緒五年版少了「龐天池」。

總計四十七則中，光緒版有兩則是多出，其餘四十五則皆是闕漏。

（三）文詞差異

未作道光版與光緒等版比較前，先提列道光版本身幾處誤謬，例如：第 16 則「袁江中」，就是「袁中江」之誤；又 19 則「孫松評」，理應爲「孫松坪」；第 45 則「顧天石」，誤爲「顧天『右』」。

此外晨風閣叢書（依據道光本而成）第 173 則也有將「李若金」誤爲「李者金」，至於光緒十年版（翠琅玕館叢書）第 40 則「尤謹庸」，便誤刻爲「『北』謹庸」，這些皆是瑕疵所在。

以下茲就所整理者加以比較：

1.道光版第 4 則，查二膽曰：「有求『于』秦」；光緒版等則是：「有求『於』秦」。

2.道光版第 8 則，王武徵曰：「豪與韻之『間』耳」、王名友：「至『于』淡友逸友則削『迹』矣」、尤謹庸：「『吾』友俱備也」；光緒版等則是：「之『閒』耳」、「至『於』淡友則削『跡』矣」、「『五』友俱備也」。

3.道光版第 9 則，江含徵曰：「『葢』已烹之」；光緒版等則是：「『蓋』已烹之」。

4.道光版第 10 則，江含徵曰：「『吃』了」；光緒版等則是：「『喫』了」。

5.道光版第 15 則，李若金曰：「豪『傑』」；光緒版等則是：「豪『俊』」。

6.道光版第 22 則，陸雲士曰：「迥『異』」；光緒版等則是：「迥『漢』」。

7.道光版第 24 則，陳鶴山曰：「『直』是夫子自道」、江含徵曰「『寧』可『拚』一『付』菜園肚皮」；光緒版等則是：「『置』是夫子自道」、「『甯』可『有』一『副』菜園肚皮」。

8.道光版第 28 則，畢右萬曰：「每『于』」、尤謹庸曰：「花『中』看美人」；光緒版等則是：「每『於』」、「花『下』看美人」。

9.道光版第 31 則，尤悔菴曰：「老『官』人」；光緒版等則是：「老

『宮』人」。

10.道光版第 33 則，王勿翦曰：「『薛』瑤英」；光緒十年版則是：「『薛』瑤英」（但光緒五年版則是無誤）。

11.道光版第 34 則，江含徵曰：「『于』窗外『紙』上畫，吾且望之『却』走矣。」；光緒版等則是：「『於』窗外『紙』上畫，吾且望之『卻』走矣。」

12.道光版第 39 則，張竹坡曰：「『貯』才子」；光緒版等則是：「『眝』才子」。

13.道光版第 43 則，張竹坡曰：「能『令』地生毛」；光緒版等則是：「能『爲』地生毛」。

14.道光版第 45 則，畢右萬曰：「不知禪『元』耳」；光緒版等則是：「不知禪『玄』耳」。

15.道光版第 49 則，江含徵曰：「『著』……未『得』優『遊』自『到』也」、陸雲士曰：「優『于』學仙」；光緒版等則是：「『着』……未『必』優『游』自『得』也」、「優『於』學仙」。

16.道光版第 63 則，張竹坡曰：「名花心『足』矣」；光緒版等則是：「名花心『折』矣」。

17.道光版第 70 則，陳康疇曰：「未必『著』意」；光緒版等則是：「未必『着』意」。

18.道光版第 74 則，陸雲士曰：「盡『涵』在內」；光緒版等則是：「盡『函』在內」。

19.道光版第 76 則，釋中洲曰：「『檀』越」、石天外曰：「『剃』度者……『寧』特」；光緒版等則是：「『憚』越」、「『薙』度者……『甯』特」。

20.道光版第 84 則，余香祖曰：「余『境』況」；光緒版等則是：「余『景』況」。

21.道光版第 94 則，江含徵曰：「此『寔』為好利」；光緒版等則是：「此『實』為好利」。

22.光版第 102 則，石天外曰：「幾『个』」；光緒五年版是：「幾『箇』」，而十年版則是「幾『個』」。

23.道光版第 120 則，顧天石曰：「質『之』心齋」；光緒版等則是：「質『諸』心齋」。

24.道光版第 123 則，張迂菴曰：「『舍』一而取一者」；光緒版等則是：「『捨』一而取一者」。

25.道光版第 129 則，陸雲士曰：「『寔』譏之者」；光緒版等則是：「『實』譏之者」。

26.道光版第 134 則，黃交三曰：「南陽抱『膝』時」；光緒版等則是：「南陽抱『郄』時」。

27.道光版第 139 則，尤悔菴曰：「守其『黑』」；光緒版等則是：「守其『墨』」。

28.道光版第 148 則，弟木山曰：「『在多』迴廊」；光緒版等則是：「『多在』迴廊」。

29.道光版第 152 則，江含徵曰：「『只』是」；光緒版等則是：「『祇』是」。

30.道光版第 155 則，胡鏡夫曰：「杖『履』」；光緒版等則是：「杖『屨』」。

31.道光版第 158 則，杜茶村曰：「『効』力」；光緒版等則是：「『劾』力」。

32.道光版第 161 則，倪永清曰：「生『于』……之『間』」；光緒版等則是：「生『於』……之『閒』」。

33.道光版第 165 則，楊聖藻曰：「以此『概』之」；光緒版等則是：「以此『槩』之」。

34.道光版第 186 則，石天外曰：「一齊『擱』筆」；光緒版等則是：「一齊『閣』筆」。

35.道光版第 190 則，孫松坪曰：「爲『土』人訂之」；光緒版等則是：「爲『上』人訂之」。

36.道光版第 193 則，王丹麓曰：「必亂其局而後『已』」；光緒版等則是：「必亂其局而後『己』」。

37.道光版第 198 則，張竹坡曰：「『帮』手」；光緒版等則是：「『幫』手」。

38.道光版第 202 則，釋遠峰曰：「『却』被」；光緒版等則是：「『卻』被」。

39.道光版第 216 則，石天外曰：「讀此『慨』然」；光緒版等則是：「讀此『概』然」。

（四）原版書影比對說明

道光二十九年「世楷堂藏版」（書影－13）

3

孩提之童一無所知目不能辨美惡耳不能判清濁

鼻不能別香臭至若味之甘苦則不荈知之且能取

之棄之告子以甘食悦色為性始指此類耳

凡事不宜刻若讀書則不宜不刻讀書不可不癡若買

書則不可不貪凡事不宜貪若買書不可不貪

余淡心曰讀書不可不刻請去一瀋字秒以臨我

何如

4

物之能感人者在天莫如月在樂莫如琴在動物莫

如鵑在植物莫如柳

妻子頗足累人羨和靖梅妻鶴子奴婢亦能供職烏

如和靖婢漁如

北梅巷曰梅妻鶴子撫婢漁童可侚絕對人生盡

風得此足矣

5

胸藏邱壑城市不異山林興寄煙霞閻浮有如蓬島

梧桐為植物中清品而形家獨忌之甚且謂梧桐大

如斗主人往外走若竟視為不祥之物也者夫顨桐

名代豢界｜刈雙幽夢影｜巳｜世楷堂

6

為造物之所忌盡此種原不獨為一時之寶乃古今

才子而美姜容人而工著作斷不能承年耆匪設

若無詩酒則山水為具文粧無佳麗則花卉皆虛設

7

凡物皆以形用其以神用者則鏡也符印也曰臀也仙

指南針也

袁中江曰凡人皆以形用其以神用者聖賢也仙

日佛也佛日凡物之用皆形而其所以用者神也

鏡凸凹而易其貌渡符印而專一而主其神機

8

蘇東坡和陶詩尚遺數十首予嘗集坡句以補之

苦于韻之弗備而止如責子詩中不識六與七但覽

梨與栗七字栗字皆無其韻也

9

予嘗偶得句亦殊可喜惜無佳對遂未成詩其一為

枯葉帶蟲飛其一為鄉月大于城姑存之以俟異日

10	11	12
八之妙境 空山無人水流花開二句極琴心之妙境勝固欣然 敗亦可喜二句極手談之妙境帆隨湘轉望衡九面 一句極泛舟之妙境胡然而天胡然而帝二句極美 人之妙境	能閒世人之所忙者方能忙世人之所閒 先讀經後讀史則論事不謬于聖賢既讀史復讀經 則觀書不徒爲章句 黃交三日朱儒語錄中不可多得之句 陸雲士曰先儒著書法累牘連章不若心齋數言 道盡 王宓草曰妄論經史者還宜退而讀經	玉蘭花中之伯夷也且潔葵花中之伊尹也向日 花中之柳下惠也不污泥鶴鳥中之伯夷也仙鶏鳥中 之伊尹也晨司鶯鳥中之柳下惠也友求 無其罪而虛受惡名者蠶魚也蛙蚌之蟲也其形如鑑蜆而差小 其蟲之蠱另是一種 有其罪而恒逃清議者黿龜也 張竹坡曰是老吏斷獄 李若金曰子瞻有除蛛網說則討之未嘗無人

　　由以上書影可見，沒有評語且與另一則明顯區隔者，有：1、2、3、6、7、9、10、11、12，計有九處（按書影之排序）；而沒有評語而且與另一則之間不易區分者，如：4、5、8計有三處，總計十二處。

附錄五：《幽夢影》新編本比較

（一）共通之處

1.在原文及評點上皆有十分詳盡之注解，而且爲了避免「拾人牙慧」，一家比一家在其數量及擇選注解方面，均煞費苦心。

2.各編本已全面使用新式標點。

3.對於典故之查詢及說明均可見各家之用心，畢竟《幽夢影》中不是只有感性、生活美學而已，尙有一些原文及評語之中亟待了解的典故，倘若不加以深入分析，不免有「以訛傳訛」之失；而若有這些現成指引，可爲捷徑是也。

（二）有異之處

1.黃山書社

(1)出版內容中，多出一些評語，這些評語出處一律注明「依據清刊本補充」。但若按照前一節「舊式本介紹」比照看來，並無任何一本舊式本有此評語內容！至於其增加者如下（其內容詳如本著《幽夢影》之評語，代號爲「◎3」）：

①第 73 則多出「王安節」。

②第 99 則多出「龐天池」。

③第 101 則多出「龐天池」。

④第 116 則多出「王安節」。

⑤第 117 則多出「王子直」。

⑥第 119 則多出「王宓草」。

⑦第 131 則多出「吳寶崖、陳留溪」。

⑧第 132 則多出「王宓草」。

⑨第 187 則多出「釋牧堂、胡會來」。

⑩第 188 則多出「卓子任」。

⑪第 194 則多出「王宓草、龐天池、王勿齋」。

⑫第 203 則多出「王司直、龐天池」。

⑬第 204 則多出「王司直」。

⑭第 205 則多出「曹沖谷、王司直」。

計增加十四處評語數,但此書並沒有光緒版之「袁翔甫補評」之評!可見其主要是依據《昭代叢書》為主,所以有些仍保留無評語之原狀,至於以上增加的人物,究竟依據何本刊本,有待進一步探討方能得知。

(2)其所附錄之王晫〈題辭〉,是國內版前所未見的;甚至在前一節「舊式本」中,也未見任何一版本中有此文章。其內文如下:

《記》曰:「和順積于中,英華發於外。」凡人之言,皆英華之發於外者也,而無不本乎中之所積。適與其人肖焉。是故其人賢者其言雅,其人哲者其言快,其人高者其言爽,其言達者其言曠,其言奇者其言創,其言韻者其言多情而可思。張子曰:「對淵博友,如讀異書;對風雅友,如讀名人詩文;對謹飭友,如讀聖賢經傳;對滑稽友,如閱傳奇小說。」正此意也。彼在昔立言之人,至今傳者,豈徒傳其言哉,傳其人而已矣!今舉集中之言,有快若并州之剪,有爽若哀家之梨,有雅若鈞天之奏,有曠若空谷之音。創者則如新錦出機,多情者則如游絲裊樹。以為賢人可也,以為哲人可也,以為達人、奇人可也,以為高人、韻人亦無不可也。譬之瀛州之木,日中視之,一葉百影。張子以一人而兼眾妙,其殆瀛木之影歟。然則日手此一編,不啻與張子晤對,罄彼我之

懷。又奚俟夢中相尋以致迷，不知路中道而返哉。同學弟松溪王
晫拜題

(3)此書乃以「簡體字」呈現，且清楚標示則數二百一十九則。

(4)第 142 則中，《昭代叢書、別集》中《幽夢影》原文並無「冬風」
二字；此編本是根據鄒弢《三借廬筆談》卷三《幽夢影》引文補充，是
以原文可呈現出「春夏秋冬」完整四季。

(5)第 158 則，張竹坡之評語，原道光昭代版並無「諺云」二字，此
編本又依清刊本補充，但舊式本仍無。

2.漢風出版

(1)貴在版面之清楚、閱讀之舒適，是以原文與評語有上下高度落
差，可以十分清晰辨識。此外，對於原文及評語之生難字均加以「注音」。

(2)未標示題號，由於容易辨認，經計算後有二百一十七則（主要是
頁 127，頁 143 兩則未加以區隔）。

(3)此本之評語大體以「道光版」為依據，但仍有一些不同之處，例
如：第 8 則，尤謹庸曰：「端午酌綵『舟』」，道光版乃是「綵『絲』」。

(4)沒有「袁翔甫」補評。

3.祥一出版

(1)多了「章旨」，一方面概約其要義，另一方面也可表達編者之看
法。

(2)將內文稱為「議題」，也有題號，共計二百一十七則（乃第 188
則，頁 195；第 212 則，頁 219，這兩則未加以區隔）。

(3)此本之評語依據「道光版」而來，唯仍有一些不同之處，例如：
第 5 則，少了「江含徵曰」、「張竹坡又曰」；第 8 則，尤謹庸曰：「端午
酌綵『舟』」，道光版乃是「綵『絲』」（這和漢風本一樣）；第 24 則，少

了「冒青若曰」等。

(4)沒有「袁翔甫」補評。

4.文國出版

(1)有題號，且題號標於「天」格，特別明顯。

(2)共分類為二百一十九則，與大陸黃山書社出版完全相同。

(3)謂了避開與黃山書社之注釋有雷同之嫌，故在數量上必然增加，而一些淺顯易懂之詞語，遂成了解釋之列。

5.江西出版

(1)全書每則均標示題號，共列二百一十六則。

(2)出版說明中，對於《幽夢影》的影響及特色有詳細說明，並特別提及：「對於這一類遺產，只要以馬克思主義為指導，進行批判地吸收，剔除糟粕，吸取精華，並加以正確疏導解說，就能夠使之為豐富人們的精神生活服務」。

(3)以《昭代叢書》為依據，以簡體字呈現。

(4)最大貢獻是將「參與評語者」做了〈人名索引〉，依其姓氏筆畫為序。但因這些評注者，有許多生平不可考，故也只完成二分之一左右人數而已。

（三）缺失概述

1.黃山書社

(1)有些字錯未校正，例如：第 18 則（頁 13），「吳『藺』次」誤為「吳『园』次」；第 104 則（頁 50）「陸雲士」誤為「『陈』雲士」等。

(2)第 59 則，誤為「57」則（頁 31）。

2.漢風出版

(1)錯字部分，第 16 則，「袁中江」誤為「袁『江中』」；第 18 則，「吳

『薗』次」誤爲「吳『園』次」;第 127 則「宗子發」,誤爲「『宋』子發」;第 163 則「杜于皇」,誤爲「杜『子』皇」。

(2)第 163 則,徐松之曰:「此是茶村興到之言」;其注釋言:「茶村,聚集聊天之場所。」殊不知「茶村」二字乃評語家「杜于皇」之「字號」,竟未加以明察。

3.祥一出版

(1)錯字說明,第 16 則,應是「袁中江」;第 18 則,應是「吳薗次」等。

(2)注釋錯誤,第 6 則,孫松坪曰:「和長興卻未許藉口」,「和長興」乃「和嶠」,字長興,西晉汝南西平人。而此本中卻解釋爲:「附和他人長篇的輿論」,猶有未加以求證之憾。

4.文國出版

(1)由於大陸黃山書社出版在前,內容中有一篇十分珍貴的前言;唯出版在後的文國書局竟一字不漏照單全收,實有抄襲之嫌!至於其注釋之數,則又與黃山書社稍有不同,以增加爲避嫌之法。

(2)選錄二百一十九則之總數,也是同黃山書社出版一樣。

(3)錯字部分,有第 18 則「吳薗次」,誤爲「吳『園』次」;第 127 則「宗子發」,誤爲「『宋』子發」;第 196 則「鄭藩修」,誤爲「鄭『暮』修」等。

(4)對於注釋部分有訛誤者,第 164 則,徐松之曰:「此是茶村興到之言」;該注釋則言:「茶村,聚集聊天之場所。」殊不知「茶村」二字乃評語家「杜于皇」之「字號」,實爲失之千里也。

5.江西出版

(1)出版說明中,將張潮誤爲「西元 1715 年」尚在世,實屬訛誤(本著第一章已做說明)。

　　(2)錯字漏字也是在所難免，而〈人名索引〉中如「瞎尊者」是十分活躍可考之人，卻以「生卒年均不詳」交代，令人費解。

參 考 書 目

一、張潮輯撰（其中《幽夢影》含舊編本與新編本）

（一） 清·王晫、張潮同輯：《檀几叢書》（清康熙三十四年，新安張氏霞舉堂刊本），157 種，12 冊。含《二集》、《餘集》等。

（二） 清·張潮輯：《昭代叢書》（清康熙間刊本），甲、乙、丙集，90 種，12 冊。

（三） 清·張潮輯、楊復吉、沈楙悳同續輯：《昭代叢書合刻本》（清道光間吳江沈氏世楷堂刊本），560 種，172 冊。

（四） 《昭代叢書·別集》（清道光二十九年吳江沈氏世楷堂本）此為《昭代叢書》之 165 冊，也是本論文《幽夢影》道光版一卷本的依據。

（五） 《奚囊寸錦四卷》（清嘉慶庚辰二十五年，揚州王氏重刊本）

（六） 《幽夢影》（清光緒五年仁和葛氏刊本），隸屬《嘯園叢書》第 16 冊。

（七） 《幽夢影》（清光緒中「十年」羊城馮氏刊本），隸屬《翠琅玕館叢書》第 1 集第 9 冊。

（八） 《幽夢影》（清光緒三十四年至宣統三年國學萃編社排印本），隸屬《晨風閣叢書》甲集第 35 冊。

（九） 《幽夢影》（清宣統三年國學扶輪社排印本），隸屬《古今說部叢書》第 6 集第 34 冊。

（十）《幽夢影》（1916 年保粹堂重刊本），隸屬《藝術叢書雜品》第 31 冊。

（十一）《幽夢影》（1935 年南海黃氏彙印本），隸屬《芋園叢書子部》第 179 冊。

（十二）《幽夢影》（台北：德華出版社，1976 年）

（十三）《幽夢影》（台北：西南書局，1980 年）

（十四）日人合山究譯註：《幽夢影》（東京：明德出版社，1986 年）

（十五）周慶華導讀：《幽夢影》（台北：金楓出版社，1986 年）

（十六）清‧張潮輯：《虞初新志》，《古本小說集成》（上海：上海古籍出版社，1988 年）

（十七）許福明校注：《幽夢影、附續幽夢影》（合肥：黃山書社，1991 年）

（十八）洪自誠編：《菜根譚與幽夢影》（台中：王仁出版社，1992 年）

（十九）方雪蓮注釋：《幽夢影、附幽夢續影》（台南：漢風出版社，1992 年）

（二十）呂自揚主編：《眉批新編幽夢影》（高雄：河畔出版社，1993 年）

（二十一）黃慶來等注釋：《幽夢影》（南昌：江西出版社，1993 年）

（二十二）謝芷媞注釋：《幽夢影、附續幽夢影》（台南：文國書局，1995 年）

（二十三）林語堂英譯、黎明編校：《中英對照幽夢影》（台

北：正中書局，1996 年）

（二十四）吳紹志編：《幽夢影、附續幽夢影》（台南：祥一
出版社，1997 年）

（二十五）林政華評註：《幽夢影評註》（板橋：駱駝出版社，
1997 年）

（二十六）陳幸蕙著：《人生溫柔論－我讀幽夢影》（台北：
漢藝色研文化事業，1998 年）

（二十七）馮保善注譯、黃志民校閱：《新譯幽夢影》（台北：
三民書局，2000 年）

二、古籍（依年代順序排列）

（一）　明・陳繼儒：《陳眉公先生全集》（明崇禎陳氏家刊本）

（二）　清・盧見曾：《雅雨堂詩文遺集・附出塞集一卷》（清
光緒庚子年清雅堂刊本）

（三）　楊家駱主編：《清人別集千種碑傳文引得及碑傳主年
里譜－續修四庫全書》（台北：中國學術研究所續修
四庫全書編纂處，1965 年）

（四）　《徽州府志全 5 冊》（台北：成文出版社，1975 年）

（五）　《文選・附考異》（台北：藝文印書館，1983 年）

（六）　瀧川龜太郎撰：《史記會注考證》（台北：漢京文化事
業公司，1983 年）

（七）　紀昀、永瑢等撰：《武英殿本四庫全書總目提要》（台
北：台灣商務印書館，1983 年）

（八）　《文心雕龍・附今譯》（台北：里仁書局，1984 年）

（九） 《全宋詞》（台北：世界書局，1984 年）

（十） 《叢書集成初編》（北京：中華書局，1985 年）

（十一） 《景印文淵閣四庫全書》（台北：台灣商務印書館，1986 年）

（十二） 漢・許慎撰、清・段玉裁注：《說文解字注》（台北：天工書局，1987 年）

（十三） 屈原等著：《楚辭四種》（台北：華正書局，1989 年）

（十四） 《四書集注》甲種本（台北：世界書局，1989）

（十五） 《中國地方志集成，安徽府縣志輯 51（歙縣志）》（南京：江蘇古籍出版社，1998 年）

（十六） 《醉古堂劍掃》（台北：考古文化事業公司，2001 年）

三、近代著作（一般中文辭典或文學家辭典省略）

（一）小品

1. 劉大杰：《註釋歷代小品文選》（台北：台灣中華書局，1941 年）

2. 朱劍心：《晚明小品文選注》（台北：台灣商務印書館，1964 年）

3. 徐渭：《晚明二十家小品》（台北：廣文書局翻印，1968 年）

4. 劉大杰：《明人小品集》（台北：眾文圖書公司翻印，1975 年）

5. 陳少棠：《晚明小品論析》（香港：波文書局，1981 年）

6. 曹淑娟：《晚明性靈小品研究》（台北：文津出版社，1988 年）

7. 胡義成選評：《明小品三百篇》（西安：西北大學出版社，1992 年）

8. 夏咸淳、陳如江：《歷代小品文精華鑑賞辭典》（台北：萬卷樓圖書公司，1996 年）

9. 程不：《明清清言小品》（湖北：辭書出版社，1993 年）

10. 陸雲龍選評：《明人小品十六家》（杭州：浙江古籍出版社，1996 年）

11. 吳承學：《旨永神遙明小品》（汕頭：汕頭大學出版社，1997 年）

12. 陳萬益：《晚明小品與明季文人生活》（台北：大安出版社，1997 年）

13. 陳萬益編撰：《性靈之聲—明清小品》（台北：時報文化公司，1998 年）

14. 李小萱選註：《山水幽情—小品文選》（台北：時報文化公司，2000 年）

15. 陳書良、鄭憲春：《中國小品文史》（台北：桂冠圖書公司，2001 年）

（二）修辭

1. 黃慶萱：《修辭學》（台北：三民書局，1986 年）

2. 陳望道：《修辭學發凡》（台北：文史哲出版社，1989 年）

3. 周振甫：《中國修辭學》（北京：商務印書館，1991 年）

4. 張春榮：《修辭散步》（台北：東大圖書公司，1991 年）

5. 黎運漢、張維耿：《現代漢語修辭學》（台北：書林出版社，1991 年）

6. 陳啓佑：《新詩形成設計的美學》（台中：台灣詩學季刊，1993 年）

7. 劉煥輝：《修辭學綱要》（南昌：百花洲出版社，1993 年）

8. 成偉鈞、唐仲揚、向宏業主編：《修辭通鑑》（台北：建宏出版社，1996 年）

9. 張春榮：《修辭行旅》（台北：東大圖書公司，1996 年）

10. 張春榮：《修辭萬花筒》（台北：駱駝出版社，1996 年）

11. 吳禮權：《中國現代修辭學通論》（台北：台灣商務印書館，1998 年）

12. 沈謙：《修辭學》（台北：國立空中大學，2000 年）

13. 黃麗貞：《實用修辭學》（台北：國家出版社，2000 年）

14. 蔡宗陽：《應用修辭學》（台北：萬卷樓圖書公司，2001 年）

15. 張春榮：《修辭新思維》（台北：萬卷樓圖書公司，2001 年）

16. 蔡宗陽：《修辭學探微》（台北：文史哲出版社，2001 年）

（三）其他

1. 李儼著：《中國算史學論叢》（台北：正中書局，1954 年）

2. 傅緯平、王雲五：《中國算學史》（台北：台灣商務印書館，1959 年）

3. 陳萬鼐：《孔尚任研究》（台北：台灣商務印書館，1971 年）

4. 《中國文學發達史》（台北：台灣商務印書館，1972 年）

5. 屈萬里、昌彼得:《圖書版本學要略》(台北:華岡出版社,1978年)

6. 國立中央圖書館主編:《明人傳記資料索引》(台北:文史哲出版社,1978年)

7. 林語堂:《生活的藝術》(台南:德華出版社,1980年)

8. 陳萬鼐:《孔東塘先生年譜》(台北:台灣商務印書館,1980年)

9. 王民信主編:《中國歷代詩文別集聯合書目》(台北:聯合報文化基金會,1981年)

10. 蕭一山:《清代通史》(台北:台灣商務印書館,1985年)

11. 《清代傳記叢刊·附索引》(台北:明文書局,1986年)

12. 黃永武:《詩與美》(台北:洪範書店,1987年)

13. 王熙元:《古典文學散論》(台北:台灣學生書店,1987年)

14. 李澤厚、劉綱紀:《中國美學史》(台北:谷風出版社,1987年)

15. 曾祖蔭:《中國古代文藝美學範疇》(台北:文津出版社,1987年)

16. 陳致平:《中華通史》(台北:黎明文化事業公司,1989年)

17. 楊廷福、楊同甫主編:《清人室名別稱字號索引》(台北:文史哲出版社,1989年)

18. 周駿富輯:《明代傳記叢刊·附索引》(台北:明文書局,1991年)

19. 王運熙、顧易生:《中國文學批評史》(台北:五南圖書

公司，1993 年）

20. 黃保真、成復旺、蔡鍾翔：《中國文學理論史》（台北：
    洪葉文化事業公司，1994 年）

21. 龔鵬程：《晚明思潮》（台北：里仁書局，1994 年）

22. 周振甫：《文章例話》（台北：五南圖書公司，1994 年）

23. 曹之：《中國古籍版本學》（台北：洪葉文化事業公司，
    1994 年）

24. 吳小林：《中國散文美學》（台北：里仁書局，1995 年）

25. 張德明：《語言風格學》（高雄：麗文文化出版社，1995
    年）

26. 李光連：《散文技巧》（台北：洪葉文化事業公司，1996
    年）

27. 黃卓越：《佛教與晚明文學思潮》（北京：東方出版社，
    1997 年）

28. 范宜如、朱書萱：《風雅淵源—文人生活的美學》（台北：
    台灣書店，1998 年）

29. 周明初：《晚明士人心態及文學個案》（北京：東方出版
    社，1997 年）

30. 夏丏尊、劉薰宇：《文章作法》（香港：三聯書店，1998
    年）

31. 彭華生、王才禹：《語言藝術分析》（台北：智慧大學有
    限公司，1999 年）

32. 《禍由筆墨生—明清文字獄》（台北：萬卷樓圖書公司，
    2000 年）

33. 蔡宗陽：《中國文學與美學》（台北：五南圖書公司，2000

年）

34. 陳炎：《中國審美文化史・元明清卷》（濟南：山東畫報
   出版社，2000 年）

35. 李澤厚：《美的歷程》（台北：三民書局，2000 年）

36. 毛文芳：《晚明閒賞美學》（台北：台灣學生書店，2000
   年）

37. 羅中峰：《中國傳統文人審美生活方式之研究》（台北：
   洪葉文化事業公司，2001 年）

四、學位論文

（一）　李準根：《晚明小品名研究》（台北：輔仁大學中
　　　　文研究所碩士論文，1980 年）

（二）　李愚一：《袁中郎小品文研究》（高雄：國立高雄
　　　　師範大學中文研究所碩士論文，1985 年）

（三）　李濟雨：《晚明小品之文藝理論及其藝術表現》（台
　　　　北：國立台灣師範大學中文研究所博士論文，1991 年）

（四）　蔡麗玲：《從晚明「世說體」著作的流行論張岱的
　　　　《快園道古》》（新竹：國立清華大學中文研究所碩士
　　　　論文，1992 年）

（五）　陳麗明：《張岱散文美學之研究》（台北：國立台
　　　　灣師範大學中文研究所碩士論文，1995 年）

（六）　鄭穎：《五四新文學時期的小品文研究》（台北：
　　　　中國文化大學中文研究所碩士論文，1995 年）

（七）　楊淑惠：《張竹坡評論《金瓶梅》人物研究》（高

雄：國立高雄師範大學中文研究所碩士論文，1995 年）

（八）　　徐麗真：《《世說新語》呈現之魏晉士人審美觀研
究》（台北：國立政治大學中文研究所博士論文，1995
年）

（九）　　林炫玗：《張竹坡評點金瓶梅之小說理論》（台北：
國立政治大學中文研究所碩士論文，1995 年）

（十）　　蔣靜文：《論張岱小品：從生命模塑到形式意義的
完成》（嘉義：國立中正大學中文研究所碩士論文，1996
年）

（十一）　王秀珍：《論陳繼儒與晚明思潮的互動關係》（台
北：東吳大學中文研究所碩士論文，1996 年）

（十二）　官廷森：《晚明世說體著作研究》（台北：國立政
治大學中文研究所碩士論文，1998 年）

（十三）　鄭幸雅：《晚明清言研究》（嘉義：國立中正大學
中文研究所博士論文，1999 年）

（十四）　陳忠和：《從劉勰「六觀」論張岱小品文》（高雄：
國立高雄師範大學中文研究所碩士論文，1999 年）

（十五）　蔡造珉：《蘇軾小品文研究》（台北：中國文化大
學中文研究所碩士論文，1999 年）

（十六）　張嘉昕：《明人的旅遊生活》（台北：中國文化大
學史學研究所，2000 年）

（十七）　楊曉菁：《陳繼儒及其小品研究》（台北：台北市
立師範學院應用語言文學研究所，2001 年）

（十八）　朱倩如：《明人的居家生活》（台北：中國文化大
學史學研究所碩士論文，2002 年）

（十九） 黃文星：《《幽夢影》修辭藝術研究》（嘉義：南華
大學文學研究所碩士論文，2002 年）

五、期刊論文

（一）以《幽夢影》為主題

1. 李長生：〈《幽夢影》之生活藝術〉，《暢流》，第 41 卷第 7
期，1970 年 5 月。

2. 蔡君逸：〈世路如今已慣，此心到處悠然—淺介張潮及其
《幽夢影》〉，《國文天地》，第 5 卷第 6 期，1989 年 11
月。

3. 蕭之華：〈是真名士自風流—談張潮及其《幽夢影》〉，《文
藝月刊》，第 247 期，1990 年 1 月。

4. 曹淑娟：〈入夢照影、陶寫幽懷—論《幽夢影》的性質與
地位〉，《鵝湖》，第 19 卷第 6 期，1993 年 12 月。

5. 沈謙：〈從《幽夢影》談文人的生活情趣〉，《明道文藝》，
第 265 卷，1998 年 4 月。

6. 余力文：〈案頭山水　心中園林—淺析張潮之《幽夢
影》〉，《國文天地》，第 14 卷第 6 期，1998 年 11 月。

7. 莊樹淳：〈淺析《幽夢影》中的生命情調〉，《中國文化月
刊》，第 232 卷，1999 年 7 月。

8. 何永清：〈《幽夢影》的修辭手法探究〉，《中國語文》，第
85 卷第 5 期，1999 年 11 月。

（二）一般期刊論文

1. 耿湘沅：〈晚明小品文蔚盛的原因〉，《漢學論文集》，

1982 年 12 月。

2.　廖玉蕙：〈論晚明小品的名稱與特色〉,《中正嶺學術研究集刊》,1985 年,第 3 集。

3.　龔鵬程：〈由《菜根譚》看晚明小品的基本性質〉,《中國學術年刊》,第 9 期,1987 年 6 月。

4.　王愷：〈略談晚明小品中文人美感品質〉,《古典文學知識》,第 2 期,1994 年。

5.　董上德、吳觀瀾：〈明人小品〉,《古典文學知識》,第 1 期,1995 年。

6.　張忠良：〈晚明小品文學家的思想及其生活〉,《台南家專學報》,第 14 期,1995 年 6 月。

7.　龔鵬程：〈遊人記遊—論晚明小品遊記〉,《中華學苑》,第 48 期,1996 年 7 月。

8.　周志文：〈真情與享樂—論晚明小品的兩個主題〉,《中華學苑》,第 48 期,1996 年 7 月。

9.　何寄澎：〈對晚明小品的幾點反思〉,《中華學苑》,第 48 期,1996 年 7 月。

10.　吳承學：〈晚明清賞小品〉,《古典文學知識》,第 5 期,1996 年。

11.　毛文芳：〈閱讀與夢憶—晚明旅遊小品試論〉,《中正大學中文學術年刊》,第 3 期,2000 年 9 月。

12.　許麗芳：〈重組與對話：晚明小品文之自我書寫〉,《國文學誌》,第 4 卷,2000 年 12 月。

國家圖書館出版品預行編目資料

```
張潮與《幽夢影》／高旖璐著. —初版. --

臺北市：萬卷樓, 2004[民 93]

    面；      公分

參考書目：面

ISBN 957-739-465-5(平裝)

1.（清）張潮－傳記 2.幽夢影－研究與考訂


072.7                              92022908
```

張潮與《幽夢影》

著　　　　者：高旖璐
發　行　人：楊愛民
出　版　者：萬卷樓圖書股份有限公司
　　　　　　臺北市羅斯福路二段 41 號 6 樓之 3
　　　　　　電話(02)23216565 · 23952992
　　　　　　FAX(02)23944113
　　　　　　劃撥帳號 15624015
出版登記證：新聞局局版臺業字第 5655 號
網　　　址：http://www.wanjuan.com.tw
E - m a i l：wanjuan@tpts5.seed.net.tw
經 銷 代 理：紅螞蟻圖書有限公司
　　　　　　臺北市內湖區舊宗路二段 121 巷 28 號 4F
　　　　　　電話(02)27953656(代表號)　傳真 (02)27954100
E - m a i l：red0511@ms51.hinet.net
承 印 廠 商：晟齊實業有限公司
定　　　價：300 元
出 版 日 期：2004 年 1 月初版

ISBN 957－739－465－5